50c

# Le cerveau

**Collection *Explora***

Prix Roberval 1991 du livre et de la communication en technologie
Plume d'or 1993 décernée par le jury du Prix Jean-Rostand

# EXPLORA

Collection dirigée par Dominique Blaizot

Claude KORDON

# Le cerveau

PRESSES POCKET

© Cité des Sciences et de l'Industrie
Presses Pocket, 1993
ISBN 2-266-04807-4

# SOMMAIRE

# DES MYTHES
# AUX RÉALITÉS

**B**ien que le cerveau, et les comportements atypiques qui résultent de ses perturbations, fascinent l'homme depuis toujours, son fonctionnement est longtemps demeuré une énigme.

Il faut attendre le début du XIX$^e$ siècle pour que l'observation systématique de sa structure fasse apparaître des éléments d'explication. On découvre alors qu'il est constitué de cellules particulières, les neurones ; on décrit les courants électriques qu'ils produisent et qu'ils propagent à travers le système nerveux. On tente de décrypter l'organisation des différentes structures du cerveau et d'associer à chacune d'elles des fonctions précises. C'est à cette époque que naissent les premières théories sur la perception, la coordination des fonctions motrices et le langage.

Mais ces théories sont encore très statiques, et ne rendent pas vraiment compte du fonctionnement du gigantesque réseau câblé que l'on compare d'abord à un réseau téléphonique géant de 50 milliards d'abonnés. Ses mécanismes, sa manière de traiter l'information, comme on dit aujourd'hui, restent mystérieux. À défaut d'une connaissance suffisante de la dynamique cérébrale, la démarche de la psychologie progresse de manière parallèle, mais indépendante des recherches sur le cerveau biologique.

La dernière phase de cette exploration date de quelques années seulement. L'analyse moléculaire des événements qui accompagnent l'activité mentale et la mise au point de techniques d'exploration du cerveau en activité ont montré que le cerveau présentait une étonnante plasticité. On le présentait naguère comme prisonnier de sa structure, avec ses neurones incapables de se renouveler ; il se révèle au contraire capable de jouer en même temps sur les tableaux de l'inné et de l'acquis, de pondérer par son environnement les règles génétiques rigides qui président à sa construction. En parallèle, on a découvert de nombreux signaux par lesquels les cellules nerveuses communiquent entre elles, mais aussi avec toutes les cellules de l'organisme. On peut maintenant suivre à distance l'activation de chaque structure cérébrale pendant l'exécution d'une opération mentale ou après une lésion, grâce à des techniques d'enregistrement à distance.

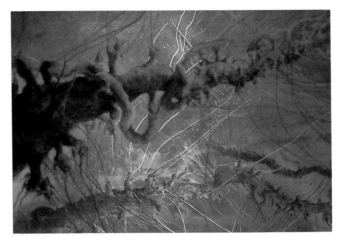

La cartographie fonctionnelle du cerveau s'est ainsi enrichie grâce à l'analyse informatique de milliers de cerveaux lésés. En parallèle, on a commencé à repérer quelques gènes dont la mutation prédispose à des maladies nerveuses ou mentales.

On a pu dire que l'exploration du cerveau constituait la dernière frontière des connaissances humaines, le pendant intériorisé de la découverte de l'Univers. Cette aventure commence à peine. Elle promet beaucoup, mais les risques qu'elle comporte seraient à la mesure de ces promesses si nous n'en maîtrisions pas suffisamment les conséquences. ■

**T**ableau de Frank Armitage, *Dendrites articulés sur une fibre moussue.* Ce peintre contemporain, d'origine australienne, a aussi réalisé la maquette spectaculaire d'un cerveau vu de l'intérieur.

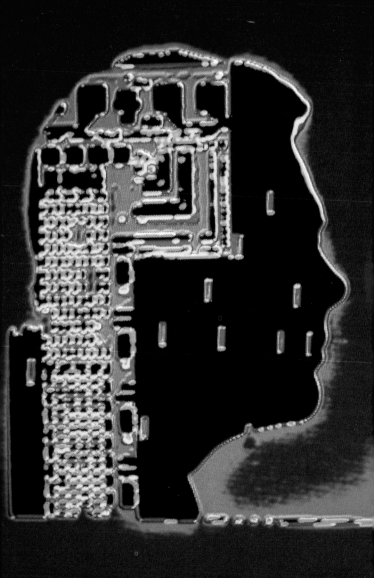

# Chapitre 1

# UNE GRANDE AVENTURE

On représente parfois le cerveau sous la forme d'un ordinateur. Ce n'est évidemment là qu'une image évoquant une référence aujourd'hui familière. En réalité, leurs fonctionnements ne sont pas comparables.

Les chercheurs qui étudient
le cerveau vivent aujourd'hui
une grande aventure.
Les vingt dernières années
nous en ont plus appris
sur son fonctionnement
que les vingt siècles précédents.
Pourtant, la fascination devant
les mystères du cerveau
est très ancienne.

Des siècles d'essais et de démarches empiriques ont préparé des recherches plus systématiques, marquant, dès l'aube du XIXe siècle, l'apparition de méthodes véritablement expérimentales.

Les plus anciennes observations cliniques connues sur les blessures du cerveau et sur leurs conséquences remontent à quatre mille ou quatre mille cinq cents ans.

**L**e papyrus Smith, qui date du Ve millénaire avant notre ère, decrit les effets de certaines lésions du cerveau.

Elles sont consignées dans un papyrus rapporté d'Égypte en 1861 par Edwin Smith, jeune ethnologue américain. "Si tu examines un homme atteint d'une blessure à la tête", peut-on lire dans ce document, "et que son cerveau s'échappe du crâne... qui tremble et oscille comme la partie faible du crâne d'un enfant... et il sort du sang de

ses deux narines... alors tu diras : en voilà un avec une plaie béante à la tête, une maladie que l'on ne peut pas traiter."

L'auteur de ce texte avait déjà noté l'association de saignements de nez avec une fracture du crâne, et avouait son impuissance à les guérir.

## La trépanation

La tentation d'opérer le cerveau est très ancienne. Des instruments ressemblant à des trépans datant d'il y a 2 700 ans ont été retrouvés en Assyrie. Bien qu'aucune trace de trépanation n'ait été identifiée sur place, on en a observé sur des crânes de la même époque exhumés en Palestine ; ils pourraient avoir appartenu à des envahisseurs venus d'Assyrie sous le commandement du roi Sénnacherib.

Des crânes amérindiens témoignent également de la maîtrise par les Incas de techniques de trépanation. Incisés à l'aide de couteaux d'obsidienne, ils portent des orifices très habilement forés, parfois refermés par des morceaux d'os récupérés au cours de l'opération. Ces opérations étaient pratiquées sans anesthésie.

La présence de bourgeons cicatriciels prouvent que certains opérés ont survécu plusieurs années.

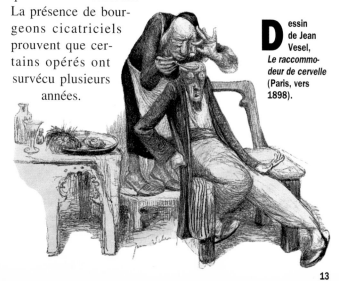

Dessin de Jean Vesel, *Le raccommodeur de cervelle* (Paris, vers 1898).

Comme bien d'autres interventions chirur-
gicales de la préhistoire, ces trépanations
correspondent souvent à des mutilations ri-
tuelles. Elles n'impliquent pas nécessairement l'intention d'altérer ou de guérir une
fonction du cerveau, mais visent plutôt à
marquer d'un signe ou d'un stigmate re-
connaissable les membres d'un même clan.
Mais on peut difficilement imaginer que
des chirurgiens assez adroits pour réussir
de telles interventions – on les voit
représentés à l'œuvre sur des pote-
ries – n'aient pas observé leurs effets
sur le comportement des patients
pendant ou après l'opération.

C'est le physiologiste grec Alcmaeon
qui, le premier, propose vers le
Ve siècle avant notre ère, de faire du
cerveau le siège de l'intelligence.
Au cours des siècles suivants,
l'étude du cerveau marque le pas.
L'assimilation des désordres men-
taux à des manifestations de la colère
divine ou à l'intervention du diable
n'y est sans doute pas étrangère.
En conséquence, leur traitement rele-
vait surtout de la magie ou de
l'exorcisme.

**C**aricature
de la
phréno-
logie, théorie
qui cherchait
à établir un lien
entre
intelligence
et forme
du crâne.
En haut, à droite,
représentation
du cerveau

## L'observation remplace peu à peu la pensée magique

Sous la Révolution, Philippe Pinel (1745-
1826) récuse l'identification de la folie à la
possession démoniaque.

(Bartisch,
Dresde, 1583)
présentant une
vue interprétée
de quelques
structures
traitant
l'information

Les théories sur le cerveau qui se développent alors se fondent encore essentiellement sur des considérations philosophiques et restent marquées par la croyance d'une localisation des esprits animaux dans le cœur.

Auparavant, un anatomiste italien précurseur de l'analyse des tissus vivants et de leur développement, Marcello Malpighi

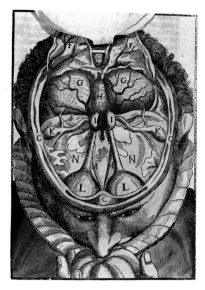

(1628-1694), avait démontré l'existence de cellules dans le cortex cérébral, mais n'avait pas pu expliquer leur rôle.

visuelle, comme les yeux, les nerfs optiques (L) et le cortex occipital (G).

La cellule ne sera reconnue comme constituant élémentaire du vivant qu'en 1839 par un autre anatomiste, l'Allemand Theodor Schwann (ci-contre).

C'est surtout dans la seconde moitié du XIXe siècle que l'observation du cerveau acquiert un caractère plus scientifique.

Une première distinction du cerveau entre aires sensitives et motrices est proposée par l'anatomiste écossais Charles Bell (1774-1842) en 1811.

Quelques décennies plus tard, des chirurgiens, en disséquant le cerveau de malades qu'ils avaient suivis pendant plusieurs années, décrivent des aires dotées d'un certain degré de spécialisation fonctionnelle ; c'est ainsi que Paul Broca (1824-1880) découvre en 1861 le centre du langage. Les travaux histologiques de l'Italien Camillo Golgi (1844-1926) et de l'Espagnol Santiago Ramon y Cajal (1852-1934) conduisent à une conception entièrement nouvelle de l'organisation cérébrale, grâce aux techniques qu'ils mettent au point pour visualiser les neurones et la topographie de leurs prolongements. Ces travaux leur valent de partager en 1906 un des premiers prix Nobel de Médecine.

Le XIX⁰ siècle apporte également des idées nouvelles dans le domaine de la psychologie. Bien que l'action calmante d'extraits de pavot ait été reconnue dans plusieurs civilisations anciennes, les effets comportementaux de la morphine ne font l'objet d'une description systématique qu'en 1827.

**P**rincipes de trépanation et de l'opération du cerveau, extraits de *Médecine pittoresque* (1840). En bas, représentation du cortex préfrontal provenant du manuel d'anatomie de Bourgery (1866).

Les premiers fondements d'une psycho-physiologie expérimentale sont posés en 1873 par le philosophe anglais Alexandre Bain (1818-1903), et développés peu après par William James (1842-1910) dans ses Principes de psychologie (1890).

Les méthodes d'observation neurologique développées par Jean-Martin Charcot (1825-1893) sont mises à profit par le neurologue viennois Sigmund Freud (1856-1939) pour développer de nouvelles techniques d'hypnose ; ces techniques joueront un grand rôle dans la naissance de la psychanalyse.

Le Russe Ivan Pavlov (1849-1936) élabore la théorie des réflexes conditionnés en faisant saliver des chiens grâce à des stimulations sonores associées à la vue et à l'odeur de la nourriture.

**P**ortrait de l'académicien russe Ivan Pavlov peint en 1935, un an avant sa mort.

## Médecine et troubles du comportement

Malgré ces progrès, la médecine restait très démunie devant les maladies du cerveau. Entre les deux guerres mondiales, on tenta pour la première fois de soigner les troubles du comportement par des moyens biologiques.

La stratégie proposée consistait à modifier l'activité des cellules nerveuses de manière globale, mais réversible. Pour y parvenir, on administra d'abord de fortes doses d'insuline, une hormone qui effondre passagèrement l'approvisionnement en glucose des neurones, puis on recourut aux électrochocs.

Les deux méthodes avaient en commun de déséquilibrer brutalement le fonctionnement des neurones ; dans les cas les plus favorables, elles conduisaient ensuite à l'instauration d'un nouvel état d'équilibre.

Mais seule la découverte des antidépresseurs produisit une véritable révolution dans le traitement des dépressions nerveuses.

**D**étail de la couverture de l'un des premiers ouvrages parus à Paris sur les techniques d'électrochoc.

Ces médicaments modifient aussi l'activité cérébrale, mais ils le font en intervenant directement sur les échanges d'information entre neurones.

Le premier antidépresseur fut presque découvert par hasard. En 1957, le professeur Pierre Denniker, de l'hôpital Sainte-Anne à Paris, essaya un nouveau calmant sur des malades agités. Il observa des modifications de comportement inattendues et conclut que le traitement avait des effets sur le psychisme. Il fut ainsi à l'origine d'une série extraordinairement féconde de médicaments.

La recherche sur le cerveau s'est beaucoup accélérée depuis vingt ans. Elle a permis d'identifier les composants chimiques du cerveau, même lorsqu'ils s'y trouvent en quantités infinitésimales, de l'ordre de quelques milliardièmes de grammes par cerveau. On a pu ensuite analyser leur structure, caractériser les gènes qui les produisent, élucider les règles de développement et de fonctionnement des cellules nerveuses, enfin voir fonctionner le cerveau humain en temps réel, grâce à des méthodes d'exploration à distance. Elle a bouleversé nos connaissances antérieures.

Que de chemin parcouru entre la découverte en 1901 du premier neuromédiateur, l'adrénaline, et la caractérisation des très nombreuses molécules-signal – on en connaît aujourd'hui plus d'une centaine – qu'utilise le cerveau pour assurer la communication entre ses neurones !

## L'avènement des neurosciences

Ces découvertes ont profondément modifié la représentation que nous avons de notre cerveau. Comme toute théorie scientifique, cette représentation est influencée par son contexte culturel : les schémas de câblage du cerveau évoquent des maquettes de machines au XIXe siècle, des réseaux téléphoniques incroyablement embrouillés cinquante ans plus tard, et, plus récemment, des plans d'ordinateur. En réalité, le cerveau ne se réduit à aucune de ces métaphores ; mais chacune d'elles a contribué à l'élaboration d'hypothèses nouvelles, puis d'expériences qui ont enrichi nos connaissances.

Développement du cerveau des poissons aux mammifères. Les structures homologues sont représentées par les mêmes couleurs : cervelet en jaune, bulbe et moelle épinière en orangé, hypothalamus en mauve, hémisphères cérébraux en bleu et lobes optiques en rouge. Chez les mammifères, l'équivalent des hémisphères cérébraux et des lobes optiques est recouvert par une structure nouvelle : le cortex cérébral. On aperçoit sous le cortex du chat un fragment de corps genouillé (carré rouge) et, dans la même couleur, le cortex occipital chargé d'intégrer les données de la perception visuelle chez les animaux supérieurs.

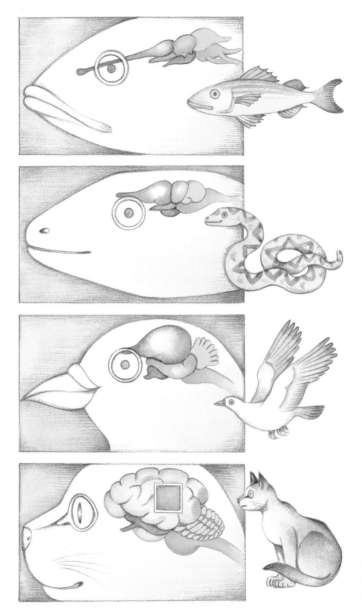

C'est à travers cette évolution qu'est né un nouveau cadre disciplinaire: les neurosciences, qui ne se sont individualisées en tant que telles qu'au cours des quinze dernières années. Elles représentent une aventure extraordinaire ; leur ambition est de fédérer toutes les disciplines de la biologie applicables au cerveau et à l'intelligence. Auparavant, ces disciplines menaient une existence séparée, suivant chacune sa logique propre – de la neurochimie la plus moléculaire à la psychanalyse, en passant par la neuroanatomie, la neurophysiologie, les sciences du développement ou du comportement et la psychologie. Naturellement, l'intégration de ces démarches disciplinaires n'est pas complète : la neurophysiologie poursuit sa démarche en direction des phénomènes électriques élémentaires ; la psychologie conserve sa spécificité conceptuelle, tout en renouvelant profondément ses méthodes, comme on le verra à propos de la neuropsychologie. Mais il est désormais difficile de concevoir chacune de ces représentations de l'activité cérébrale de manière indépendante. Les chercheurs de chaque discipline traditionnelle tendent d'ailleurs de plus en plus à se rencontrer dans des forums communs.

Ainsi l'Association des neurosciences américaine réunit chaque année des assemblées gigantesques, qui peuvent atteindre quinze mille chercheurs ; l'Association des neurosciences européenne, comme d'ailleurs l'Association française, de création plus récente (1988), suivent le même chemin.

Les neurosciences sont ainsi devenues le premier domaine des sciences de la vie à englober l'ensemble des démarches intellectuelles relatives au vivant – de l'étude des règles génétiques de la construction du cerveau à celle des désordres neurologiques ou psychiatriques, de l'identification des signaux chimiques à la réflexion sur notre propre conscience, de l'analyse des composants cellulaires du cerveau à la modélisation mathématique du fonctionnement du système nerveux et à l'intelligence artificielle. ■

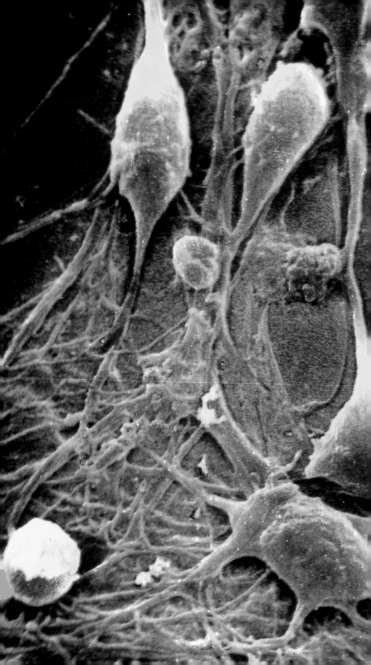

# Chapitre 2

# LE NEURONE : UNITÉ DE BASE DU SYSTÈME NERVEUX

**N**eurones et leurs prolongements représentés en microscopie à balayage. Le microscope "balaye" successivement différents plans de la préparation ; les données ainsi obtenues sont mémorisées et permettent la reconstituion de l'image en trois dimensions.

**Comme tous les tissus, le cerveau se compose de cellules nerveuses (les *neurones* et les *cellules gliales*) qui en constituent les unités élémentaires. Les neurones représentent la population majoritaire : notre cerveau en contient environ cinquante milliards.**

Qu'ils soient animaux ou végétaux, les organismes vivants sont constitués de cellules. Toutes les cellules comportent une organisation très voisine. Elles renferment un noyau, qui contient en particulier les chromosomes – eux-mêmes composés de gènes, supports de l'hérédité et dans lesquels est stockée l'information génétique nécessaire à la reproduction et au fonctionnement de la cellule. Une membrane, la membrane plasmique, sépare l'intérieur de la cellule – sa phase liquide qu'on appelle le cytoplasme – des espaces extracellulaires.

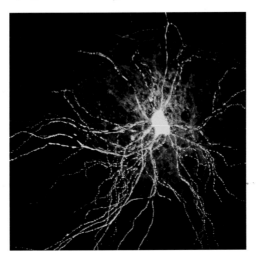

Neurone marqué par fluorescence. Le colorant, microinjecté dans la cellule, se répand dans le cytoplasme et révèle tous ses prolongements.

Contrairement à la plupart des autres cellules, relativement ramassées autour de leur noyau, les neurones présentent une forme particulière. Leur corps cellulaire (la partie qui entoure le noyau) émet des prolongements, les axones et les dendrites.

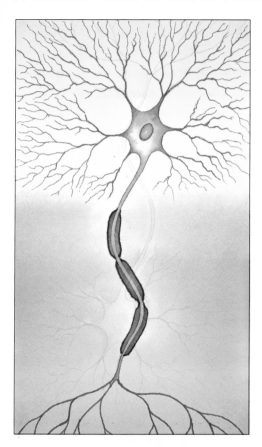

Un neurone : sur fond jaune, le corps cellulaire avec ses dendrites ; sur fond rose, l'axone entouré des cellules qui constituent sa gaine de Schwann (violet) ; sur fond orangé, l'arborisation de l'axone.

En plus des neurones et de leurs prolongements, généralement regroupés en faisceaux, le système nerveux contient aussi des cellules gliales, qu'on appelle parfois cellules de soutien.

Certaines d'entre elles tissent de véritables manchons de protection dont elles entourent les axones (les gaines de Schwann, nommées d'après Theodor Schwann,

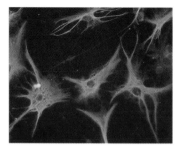
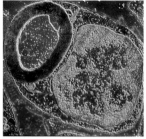

un des principaux concepteurs de la théorie cellulaire de la matière vivante, et qui fut le premier à décrire ces gaines).

## Une irrigation contrôlée

L'alimentation du cerveau est assurée par deux systèmes d'irrigation indépendants. Comme dans tous les organes, le plus important d'entre eux est un système vasculaire constitué d'un réseau d'artères, de capillaires et de veines. Les vaisseaux du cerveau ont la propriété singulière de contrôler les échanges entre le sang et le tissu cérébral grâce à une véritable barrière chimique baptisée hémato-encéphalique puisqu'elle isole le compartiment sanguin (haïma en grec) du cerveau (kephalé, tête).

**C**ellules gliales en culture (à gauche). La cellule gliale est également capable d'émettre des prolongements, mais ceux-ci sont généralement plus courts que ceux du neurone. On peut aussi la distinguer par

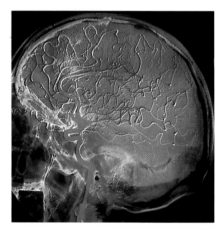

La barrière hémato-encéphalique

Cette barrière protège le cerveau contre les substances charriées par le sang et qui pourraient perturber son fonctionnement (des toxines par exemple, mais aussi plusieurs hormones).

Seules franchissent la barrière les composés nécessaires au fonctionnement du cerveau, comme les nutriments ou certaines catégories d'hormones (les hormones surrénaliennes, génitales et thyroïdiennes en particulier).

La barrière hémato-encéphalique fonctionne ainsi comme un filtre sélectif vis-à-vis des différents composants transportés par le sang. Elle n'apparaît qu'après la naissance.

Chez l'adulte, elle comporte quelques lacunes : sept ouvertures, joliment baptisées par certains scientifiques "les sept fenêtres du cerveau sur le milieu intérieur", préservent des zones de libre échange au niveau d'organes vasculaires (des enchevêtrements très denses de vaisseaux répartis dans les principales structures profondes du cerveau).

Grâce à ces fenêtres, le cerveau est informé des modifications des propriétés physico-chimiques du sang périphérique (salinité, force ionique...) qu'il détecte à l'aide de véritables "capteurs". L'information recueillie par ces capteurs permet au cerveau de rétablir les équilibres modifiés et de préserver ainsi la constance du milieu intérieur.

la présence de "marqueurs", c'est-à-dire de protéines qu'on ne trouve que dans les cellules gliales (les neurones ont aussi leurs propres marqueurs). L'image de droite (p. 28) a été obtenue à l'aide d'un colorant fluorescent qui envahit l'ensemble du cytoplasme (la phase liquide de la cellule). En bas, mise en évidence de l'irrigation du cerveau. Les gros vaisseaux sont révélés par artériographie après injection d'une substance radioopaque.

Dans le cas de changements des propriétés hydro-minérales du sang, par exemple, la correction se fera en réglant l'élimination d'eau et de sels minéraux par le rein, ou en déclenchant des comportements de soif qui rétabliront l'équilibre hydrique.

Les ventricules cérébraux

La deuxième circulation cérébrale est assurée par une série de "poches" aplaties, reliées entre elles par un réseau de canaux qui irrigue les principales structures du cerveau et la moelle épinière : le système des ventricules cérébraux.

Le liquide céphalo-rachidien qu'ils contiennent est plus dilué que le sang et ne contient pas d'éléments cellulaires (globules rouges ou blancs par exemple). Il circule très lentement (quelques centimètres à l'heure) de la partie antérieure du cerveau vers la moelle épinière.

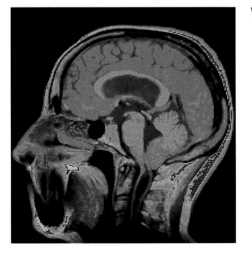

Vue du cerveau obtenue par la technique de la résonance magnétique nucléaire. Sous l'écorce cérébrale (bande verte-rouge), on distingue au centre et sous le cervelet une partie des ventricules cérébraux (en bleu foncé).

Une variété de cellules gliales, les épendy-mocytes, bordent les ventricules et les canaux tout en permettant des échanges entre le li-quide céphalorachidien et le tissu nerveux.

## Une "messagerie" cellulaire

Les neurones reçoivent de ces systèmes d'ir-rigation la matière première nécessaire à leur fonctionnement – aliments énergétiques comme le glucose et l'oxygène, ou encore acides aminés, les principaux éléments constitutifs de la matière vivante. À partir de ces éléments, ils fabriquent leurs propres constituants. Par exemple, les acides aminés assemblés bout à bout vont former des chaînes plus ou moins longues, les pro-téines, qui constituent le principal compo-sant des cellules. Une fois transformés, ma-tières premières et produits finis sont pris en charge par un système de "messagerie" in-terne commun à toutes les cellules, qui les transporte vers des destinations bien défi-nies. Ces transports suivent des règles de cir-culation précises ; chaque produit est "éti-queté" (à l'aide d'une molécule chimique caractéristique de sa destination), puis ache-miné vers les membranes de la cellule ou vers les "organelles" qu'elle contient.
Chaque organelle est responsable de fonc-tions spécialisées : certaines abritent les "chaînes de transformation" enzymatiques ; dans d'autres, comme les lysosomes, l'ex-cédent de production de la cellule ou ses produits mal façonnés sont détruits ;

d'autres encore ont des fonctions de tri, aiguillant les produits vers leur destination finale dans le neurone. Enfin, la cellule est capable de gérer ses stocks, par exemple la réserve des produits actifs qu'elle sécrète, et de contrôler leur "exportation".

## Le neurone, une entité très autonome

Les neurones possèdent ainsi des mécanismes de contrôle qui font d'eux de véritables petites usines autonomes. Ces mécanismes doivent être bien coordonnés ; c'est pourquoi les cellules nerveuses sont très interactives, et capables d'adapter leur activité en fonction des messages qu'elles reçoivent de leur environnement.

Grâce à des échanges permanents, la cellule se tient constamment au courant des modifications qui surviennent dans son milieu et du comportement des cellules qui l'entourent.

Le lieu privilégié de ces échanges se situe au niveau de zones de contact spécialisées que les neurones établissent entre eux . les synapses.

Une synapse vue au microscope électronique. Une terminaison nerveuse (en haut de l'image) établit une jonction avec une épine dendritique. On distingue (en vert) la fente synaptique et l'épaississement de la membrane qui la délimite. Ce cliché est grossi environ 16 000 fois ; les couleurs sont arbitraires.

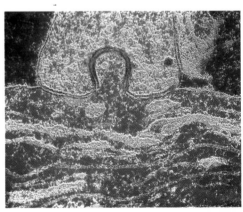

La synapse est constituée par l'apposition d'une terminaison nerveuse (l'extrémité d'un axone) avec un segment de dendrite ou de corps cellulaire. Elle se caractérise par un épaississement de la membrane située du côté aval (qu'on appelle "post-synaptique") de l'articulation, séparé de la membrane présynaptique par une fente étroite dans laquelle vont se concentrer les signaux chimiques chargés des échanges entre neurones.

La synapse possède des propriétés morphologiques, chimiques et électriques particulières, adaptées à son rôle dans la communication neuronale. Mais elle n'est pas un simple relais passif de l'information nerveuse : elle est capable de filtrer les messages des neurones et de fonctionner comme un amplificateur de signaux. Les synapses jouent un rôle capital de coordination de l'extraordinaire travail d'équipe qui permet au cerveau d'accomplir ses fonctions. ■

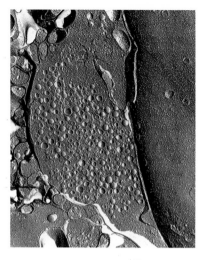

Synapse au microscope électronique après cryofracture, c'est-à-dire rupture des jonctions synaptiques à très basse température. Au centre de l'image, une terminaison axonale vue du côté de la fente synaptique. Certaines vésicules (en relief) sont encore pleines de neuromédiateurs ; celles qui ont déjà libéré le médiateur apparaissent en creux.

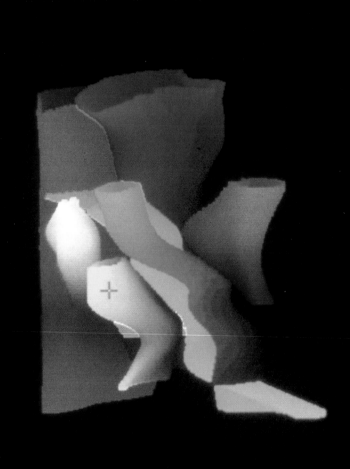

# Chapitre 3

# LES TROIS LOGIQUES DU CERVEAU

On a pu dire que le cerveau fonctionne selon trois logiques différentes. Bien sûr, c'est là une image : l'exécution des réflexes, la coordination sensori-motrice (c'est-à-dire la manière dont l'information reçue par les sens est traitée pour permettre un mouvement), la mémoire, ou encore les opérations mentales procèdent d'un seul et même "mode d'emploi" du cerveau.

**R**econstruction tridimensionnelle et en fausses couleurs de quelques structures du cerveau par ordinateur.

Cependant, quand on se penche sur le détail de son fonctionnement, on peut effectivement observer trois ordres de mécanismes coordonnés obéissant chacun à ses lois propres :
– une logique de structure (l'organisation complexe, dans les trois dimensions de l'espace, des neurones et de leurs prolongements) ;
– une logique électrique, qui fait appel à la propagation d'un courant électrique – l'influx nerveux – le long des nerfs ;
– enfin une logique chimique, celle des médiateurs du système nerveux, qui procède par émission et réception des signaux chimiques qui assurent la communication entre les cellules cérébrales.

Cerveau humain vu en coupe sagittale (en bas) et frontale (à droite). Le cortex cérébral (mauve) entoure la substance blanche (brun) composée essentiellement de fibres reliant les neurones du cortex entre eux et avec les autres structures cérébrales. Dans les couches profondes on distingue le corps calleux

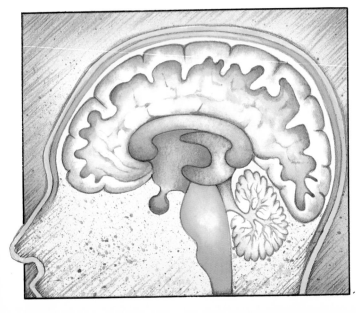

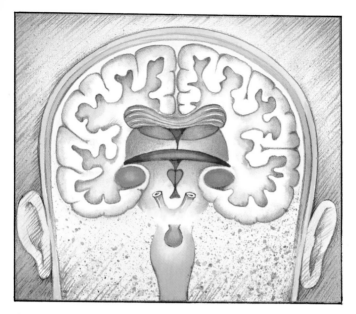

Ces molécules, ou neuromédiateurs, jouent un rôle capital dans le réglage de la sensibilité des cellules en déterminant le "niveau d'amplification" de la transmission synaptique, un concept analogue au "gain" d'amplification d'une chaîne de haute fidélité.

## Le cerveau câblé

La logique de structure est celle de la construction (qu'on appelle aussi "architecture") des neurones et du câblage de leurs prolongements. Ces prolongements peuvent être distribués de manière diffuse, ou au contraire se rassembler en faisceaux. Axones diffus et faisceaux relient différentes populations de neurones.

(turquoise), dont fait partie l'hippocampe (p. 69), le noyau caudé (bleu), le diencéphale (vert) qui contrôle la vie végétative et les sécrétions hormonales, par l'intermédiaire de l'hypophyse (violet). Le bulbe rachidien et la moelle épinière sont en orangé. Sur la coupe sagittale, le cervelet est visible à droite en bas.

Dans le cerveau des vertébrés (espèces zoologiques dotées d'un cerveau structuré et d'une colonne vertébrale contenant une annexe du cerveau, la moelle épinière), les neurones sont généralement groupés en ensembles que l'on appelle noyaux (en raison de l'image plus dense qu'ils donnent sur des coupes de cerveau vues au microscope, par rapport aux structures moins denses qui les entourent).

Les noyaux ne sont pas des entités homogènes ; tous les neurones qui les composent n'ont pas nécessairement les mêmes fonctions et on trouve aussi de nombreux neurones diffus entre les masses plus denses des noyaux.

Que peut-on dire dans ces conditions de la "localisation" des fonctions cérébrales, c'est-à-dire des théories selon lesquelles une structure précise correspondrait à chaque fonction – des centres visuels pour le traitement de l'information reçue par l'œil, des centres moteurs ou des centres du langage par exemple ?

## Une architecture parallèle

En réalité, le cerveau traite l'information nécessaire à son fonctionnement dans un grand nombre de structures en même temps ; on peut dire qu'il fonctionne sur des circuits parallèles (dans le sens où on dit d'un ordinateur qu'il est une machine parallèle). Une même information peut être traitée simultanément par plusieurs canaux.

Cette redondance de réseaux permet en partie de comprendre comment le cerveau est capable de récupérer, dans bien des cas, un fonctionnement à peu près normal après avoir subi une lésion ; des réseaux intacts prennent progressivement en charge les fonctions perturbées et compensent, au moins dans une certaine mesure, la défaillance des réseaux détériorés.

Dans ces conditions, les "centres" doivent être conçus comme des carrefours stratégiques ou des points de passage obligés du traitement de certaines données, plutôt que comme des lieux exclusifs d'exécution d'une fonction. La lésion de ces carrefours stratégiques eux-mêmes a évidemment des conséquences plus graves que des lésions diffuses. Mais d'une façon générale, on ne peut pas dire qu'à chaque structure corresponde une fonction déterminée du cerveau. Roger Guillemin, prix Nobel 1979 pour la découverte d'une classe nouvelle de neuro-médiateurs, les neuropeptides, utilise une métaphore pour rendre compte de cette situation : la relation de la structure et de la fonction peut se concevoir comme la relation de la forme et de la couleur dans certains tableaux modernes, par exemple ceux de Paul Klee ; leurs limites se superposent dans une certaine mesure, mais elles ne se recoupent pas exactement.

En dehors des carrefours stratégiques, sortes de nœuds où se concentre l'information nécessaire à l'accomplissement d'une fonction particulière, l'information cérébrale est

**T**ableau du peintre allemand Paul Klee (1879-1940), *Figure d'un soir* (1935). Formes et couleurs ne se recouvrent que partiellement, à l'instar de la relation entre structures et fonctions cérébrales.

distribuée de manière diffuse dans un grand nombre de structures en même temps. La richesse des connexions reliant les structures les unes aux autres lui permet d'emprunter plusieurs voies différentes. Un calcul théorique, basé sur le nombre moyen des connexions de chaque neurone (environ dix mille), montre que chacun de nos 50 milliards de neurones peut être relié à n'importe quel autre à travers trois ou quatre synapses seulement.

Les axones qui relient les neurones sont sûrement organisés en faisceaux plus ou moins importants ; les plus larges d'entre eux forment la substance blanche du cerveau (qui tient sa couleur des acides gras des gaines de myéline), et les fibres nerveuses y cheminent sur de longues distances.

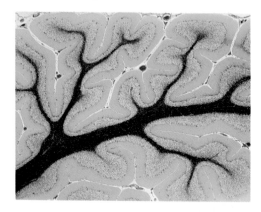

Circonvolutions du cervelet humain. La couche externe composée surtout de fibres nerveuses apparaît ici en orange uniforme, au voisinage des vaisseaux sanguins (rouge vif). La couche granulaire interne (structure granuleuse, en orangé plus pâle) contient les corps cellulaires des neurones. Les axones se rassemblent en faisceaux

Certains noyaux envoient des axones vers de nombreuses structures ; ils peuvent ainsi contrôler en même temps le traitement de l'information cérébrale à plusieurs niveaux.

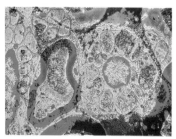

figurés ici en noir. En bas, gaines de myéline (rose) entourant des fibres nerveuses (vert).

## Les propriétés électriques du cerveau

Axones et dendrites sont parcourus par des courants électriques que l'on nomme potentiels d'action.

Comme tout courant, ils se caractérisent par une différence de potentiel, qui est généralement de l'ordre du millivolt, et impliquent le déplacement de charges électriques. Mais en dehors de cette propriété, ils ne sont pas exactement comparables aux courants qui parcourent un fil conducteur.

Dans ce dernier cas, le déplacement d'énergie lié au passage du courant est assuré par des mouvements d'électrons à des vitesses voisines de celle de la lumière. Dans le cas des fibres nerveuses, la vitesse est beaucoup plus lente (de l'ordre du mètre par seconde).

Le potentiel d'action résulte de mouvements d'ions à travers la membrane neuronale, eux-mêmes liés à l'ouverture ou la fermeture de canaux ioniques percés dans la membrane, un peu à la manière de pores. Mais chaque canal n'est en principe perméable qu'à un ion déterminé. Les mouvements d'ions affectent la répartition des charges électriques entre les faces interne et externe de la membrane, entraînant la propagation d'une onde de dépolarisation.

## Neuromédiateurs et synapses chimiques

Dans certains cas, l'influx nerveux peut se propager d'un neurone à un autre, ou plus exactement de l'extrémité d'un axone aux dendrites ou au corps cellulaire d'un autre neurone, par le simple relais d'un contact étroit entre ces éléments.

Le neurone (p. 43) est une véritable petite usine cellulaire. Il est capable d'importer des matières premières, par exemple un acide aminé comme la tyrosine (en haut, dans les grains rouges capturés par le corps cellulaire). Il peut alors les transformer grâce à des enzymes synthétisées à partir de l'ADN du noyau (bleu). Dans l'exemple choisi la tyrosine est progressivement transformée en noradrénaline (grains orangés), neuromédiateur transporté le long de l'axone puis stocké dans la terminaison. L'activation du neurone entraînera la libération du médiateur dans la fente synaptique (en bas) où ils agiront sur des récepteurs (cupules rouges).

Il existe en effet des contacts synaptiques, mais dans la majorité des cas, la transmission est assurée par des échanges de signaux synaptiques chimiques entre neurones "câblés". Ce sont les neuromédiateurs qui constituent les molécules signal.

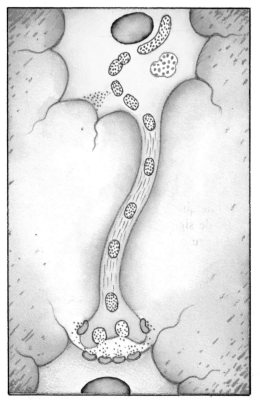

La plupart des récepteurs sont situés sur le neurone post-synaptique, mais il en existe aussi quelques-uns sur la terminaison du neurone lui-même : on les appelle des autorécepteurs et ils permettent au neurone d'être informé de la concentration de médiateur émise dans la fente synaptique. Dans le corps cellulaire le lysosome a aussi été représenté (vésicule à grains colorés) ; il est le lieu d'inactivation et d'élimination des déchets de l'activité cellulaire.

Contrairement à ce que l'on pensait auparavant, les neurotransmetteurs ne sont pas le seul apanage du système nerveux ; ils ne représentent qu'un cas particulier de la communication cellulaire basée sur des échanges de signaux chimiques. Les neuro-médiateurs sont synthétisés par les neurones, mis en réserve dans les terminaisons des axones et libérés au niveau des synapses (dans une certaine mesure, les dendrites peuvent eux aussi stocker et libérer des neuromédiateurs).

## Des signaux chimiques universels

Les médiateurs du cerveau se retrouvent également dans d'autres organes, comme le cœur, le rein ou le système digestif. On peut donc parler d'une banalisation des mécanismes d'échanges de signaux entre cellules ; quel que soit l'organe concerné, ces échanges font tous appel aux mêmes molécules chimiques.

On assiste depuis quelques années à une véritable "inflation" de signaux chimiques de communication entre cellules, dans les organes périphériques aussi bien que dans le système nerveux et dans le cerveau.

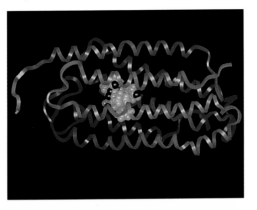

Liaison d'un signal chimique à son récepteur selon le principe de l'interaction clé-serrure. Le signal (bleu) s'insère dans une "niche" formée par la molécule du récepteur (vert). L'ordinateur a intégré un grand nombre de données physicochimiques pour modéliser l'interaction d'un analogue synthétique de l'enképhaline avec un récepteur des signaux apparentés à la morphine.

Cette métaphore n'est évidemment pas à prendre au pied de la lettre ; l'organisme ne recourt naturellement pas à une stratégie économique d'États en difficulté, et ne fabrique pas de nouveaux signaux au gré de ses déficits.

Elle reflète seulement la découverte récente, grâce à des techniques performantes de biologie moléculaire, d'un grand nombre de signaux dont l'existence était complètement ignorée il y a encore dix ans : on ne connaissait alors qu'une vingtaine de molécules biologiques ayant une fonction de signal intercellulaire ; on en recense aujourd'hui plus de deux cents.

Une fois émis, le signal est reconnu par un récepteur. La plupart des récepteurs sont composés d'une ou de plusieurs chaînes protéiques assemblées entre elles et insérées dans la membrane plasmique (on dit que le récepteur est "ancré" dans la membrane). Une partie de la séquence protéique du récepteur est orientée vers l'extérieur de la membrane, où s'effectue la reconnaissance des signaux chimiques.

## Un système de clés et de serrures

Comment se fait cette reconnaissance ? En première approximation, on peut dire qu'elle fonctionne comme un couple clé-serrure. La forme de la molécule signal est complémentaire de celle de la molécule récepteur (on parle de complémentarité de leurs "configurations" dans l'espace).

Mais les deux molécules présentent aussi des complémentarités de charge électrique qui font qu'elles s'attirent l'une l'autre. On définit cette attraction comme une affinité.

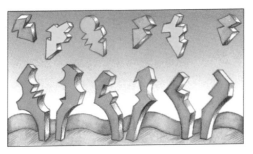

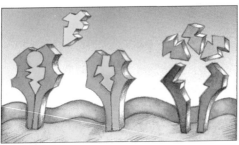

nteraction de type clé-serrure entre un signal chimique et son récepteur. Grâce à la complémentarité de leur forme, les signaux se lient aux récepteurs qui leur correspondent et modiflent leur "conformation". Dans l'exemple choisi, elles rapprochent deux sous-unités du récepteur à la manière d'une tenaille qui se ferme, déclenchant ainsi l'activité enzymatique portée par la partie intracellulaire (en brun, en bas) du récepteur.

C'est grâce à cette propriété que média-teurs et récepteurs synaptiques se recon-naissent, et assurent ainsi une transmission personnalisée (on dit spécifique) de l'influx nerveux d'un neurone à l'autre.

## Les lois physiques de la communication entre cellules

La transmission synaptique n'est pas instan-tanée ; elle doit prendre en compte la durée de l'interaction entre le signal et le récepteur.

L'existence d'une grande variété de médiateurs, dont les affinités pour leur récepteur ne sont pas les mêmes, permet d'assurer un large éventail de temps de transmission différents.

La loi d'action de masse montre en effet que la durée (le temps critique) de la transmission varie en fonction de l'affinité d'un signal pour son récepteur.

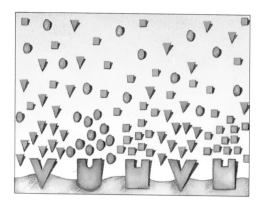

**A**ffinité des molécules-signal pour leur récepteur. L'attraction par les récepteurs des molécules qui leur correspondent (complémentarité des formes et des couleurs) tient à la charge électrique et à la configuration dans l'espace de chacun des deux éléments, selon une loi physique d'application très générale (loi d'action de masse).

La membrane qui porte le récepteur n'est d'ailleurs pas passive lors de la réception du signal. Elle réagit à l'interaction signal-récepteur en produisant des seconds messagers, c'est-à-dire des signaux intracellulaires qui activent (ou inactivent) la machinerie cellulaire du neurone destinataire (c'est ce qu'on appelle la transduction du signal).

Les seconds messagers peuvent entraîner l'ouverture ou la fermeture des canaux ioniques, contrôlant ainsi la propagation de l'influx nerveux.

Ils peuvent aussi stimuler des enzymes spécialisées qui, en "greffant" un radical phosphate sur des protéines, modifient leur conformation et donc leurs propriétés. Il peut arriver que le récepteur lui-même soit la cible de cette greffe ; dans ce cas, le signal modifie les propriétés de son propre récepteur.

Les phénomènes d'hypersensibilité (augmentation de la sensibilité d'un neurone vis-à-vis d'un signal) s'expliquent presque tous par des réactions de phosphorylation de ce type ; c'est également vrai de la réaction inverse, la désensibilisation, qui joue un rôle important dans l'accoutumance à des drogues ou à des médicaments.

## Un autocontrôle permanent

Les phénomènes de transduction assurent l'intégration, par chaque neurone, de l'ensemble des messages chimiques qui lui parviennent. Capables de gérer la sensibilité des récepteurs vis-à-vis de chacun d'entre eux, ils peuvent contrôler à chaque instant l'acheminement des messages à travers les synapses.

La transmission synaptique n'est donc pas passive : elle fait l'objet de réglages permanents, par lesquels l'efficacité de toutes les synapses d'un ensemble (et donc le poids relatif de chacun des relais d'un réseau) peut être contrôlée en permanence. Ces réglages permettent aussi de mettre en quelque sorte un groupe de neurones "sur la même longueur d'onde", en leur faisant parvenir simultanément un signal commun.

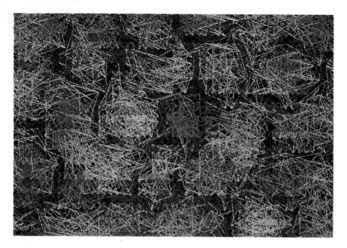

Agissant à la manière d'un mot de passe, ce signal commun mettra les neurones qui le reçoivent en synchronie, augmentant ainsi leur importance par rapport à tous les autres. C'est ainsi que le cerveau parvient à recruter des configurations temporaires de neurones, qui enrichissent la prodigieuse diversité de ses modes opératoires.

C'est sans doute à travers cette propriété de sélectionner à volonté des configurations originales que se réconcilient le mieux les trois "logiques" du cerveau : celle du câblage et des connexions nerveuses, capables de cibler en direction de tous les neurones des informations de nature chimique ou électrique ; celle du potentiel d'action et de la synchronisation de l'activité électrique des sous-ensembles de neurones ; enfin celle des médiateurs chimiques, artisans de la sélection de ces sous-ensembles. ■

**S**imulation par ordinateur des connexions synaptiques du cerveau. Lorsqu'elles sont stimulées, ces synapses artiflcielles activent des réseaux d'éléments neuronaux qui vont s'organiser en "conflgurations" différentes selon la nature du stimulus appliqué.

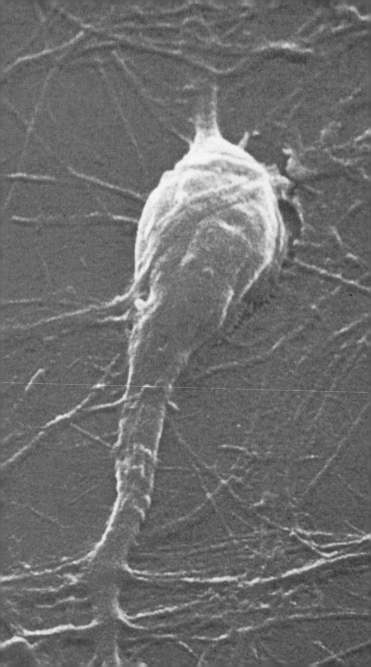

# Chapitre 4

# CONSTRUCTION DU CERVEAU

**M**icropho-
togra-
phie
d'un neurone
en culture,
montrant l'axone
(le prolongement
le plus épais
dirigé vers
le bas) et le
début de son
arborisation,
ainsi que de
nombreux
dendrites
enchevêtrés.

**Comme tous les organes,
le cerveau résulte
des multiplications successives
au cours de l'*embryogenèse* d'un
petit nombre de cellules initiales
ayant toutes la même information
génétique et donc les mêmes
propriétés potentielles.**

Au début de la formation de l'organisme, les cellules qui dérivent des premières divisions de l'œuf fécondé sont théoriquement équipotentes. Très vite, en fonction de leur position parmi les quelques dizaines de cellules qui résultent de ces divisions, elles vont se voir attribuer une destination, on pourrait d'ailleurs dire une prédestination.

Cette spécification de leur rôle futur est placée sous le contrôle de gènes très particuliers, les gènes homéotiques, qui ne s'expriment qu'à un stade très précis du développement ; leur fonction consiste à sélectionner, parmi l'ensemble des gènes existants, les gènes spécifiques qui détermineront ultérieurement l'architecture de l'organisme.

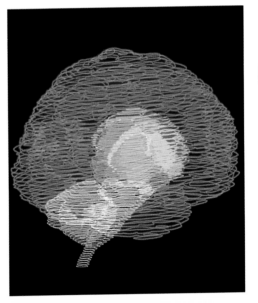

**C**erveau d'un nouveau-né "reconstruit" par ordinateur. Les structures cérébrales les plus anciennes au point de vue de l'évolution (figurées ici en turquoise et en jaune) atteignent plus tôt leur maturité ; l'écorce cérébrale (vert) est encore inachevée.

Les cellules primitives ainsi sélectionnées pour réaliser le système nerveux, qui n'est encore qu'en projet, constituent un amas allongé (la gouttière neuroectodermique) à la surface du futur embryon. Elles commencent ainsi à se distinguer des ébauches destinées à former d'autres organes.

## Le cerveau embryonnaire

Aux stades suivants du développement de l'embryon, ces lignées donnent naissance à de nombreuses cellules qui, en se diversifiant progressivement, engendrent l'ensemble des types cellulaires nécessaires à la construction du cerveau.

**C**erveau d'un nouveau-né. L'image de gauche a été obtenue grâce au traitement par ordinateur d'une analyse faite en microscopie à balayage. Les régions en vert clair correspondent à des zones de moindre densité. À droite, cerveau d'un enfant de 2 ans représenté dans les mêmes conditions.

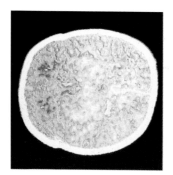 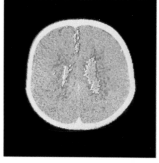

Pendant cette phase de construction, les nouveaux types cellulaires sont rassemblés dans des structures cérébrales différentes. Pour que les cellules puissent respecter les contraintes architecturales de leur structure, une autre catégorie de gènes, les oncogènes, en prennent temporairement le contrôle.

Le développement de l'écorce cérébrale laisse subsister, dans le cortex frontal, quelques zones inachevées (en vert clair) liées à l'exécution de comportements complexes.

Dès que la croissance et la multiplication de la gouttière neuroectodermique a conféré au cerveau sa forme future (il se met à ressembler à un cerveau miniature), les cellules qui le composeront amorcent leur mise en place.

## La migration des neurones

Cette mise en place comporte plusieurs processus indépendants :

– une migration des neurones, qui se déplacent parfois sur des distances appréciables (plusieurs centimètres) pour gagner leur place définitive ;

– un arrêt progressif de leur multiplication (contrairement à la plupart des autres cellules, les neurones, à de très rares exceptions près, ne se divisent plus une fois en place, de sorte que le nombre total de nos neurones atteint son maximum peu après la naissance) ;

– une croissance des neurites, qui suivent des itinéraires balisés jusqu'à ce qu'ils rencontrent la cible post-synaptique qui leur est assignée ;

– enfin, une redistribution et une prolifération des cellules gliales qui, elles, gardent la propriété de se diviser pendant toute la vie (ce pourquoi les tumeurs cérébrales sont presque toujours composées de cellules gliales). L'ensemble de ces événements est évidemment contrôlé. La migration des neurones embryonnaires est supervisée par des molécules signal présentes à la surface de cellules voisines, qui posent de véritables jalons sur l'itinéraire programmé et repèrent les voies parcourues par les fibres nerveuses

Pendant la construction du cerveau (p. 55), les axones poussent en direction de leur cible : le neurone avec lequel ils établiront un contact synaptique. Le trajet de leur migration (parcours bleu pointillé) est balisé par des signaux chimiques émis par des cellules gliales et reconnu par un motif complémentaire situé sur le bourgeon neuritique figuré en bleu, véritable "tête chercheuse" de l'axone. Au voisinage de la cible, le neurite subit l'influence de signaux (récepteurs rouges) qui vont stopper sa migration et modifier chaque neurone partenaire pour permettre leur articulation.

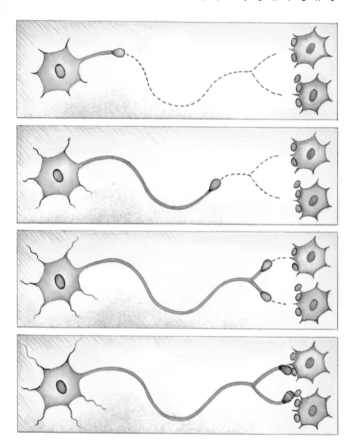

isolées ou groupées en faisceaux pour parvenir à leur synapse. Au terme de leur voyage,
les axones parviennent au neurone qu'ils doivent innerver. Là, d'autres signaux comman-
dent l'arrêt de leur migration et la formation
de l'articulation synaptique (la synapse acquiert à ce stade les propriétés qui lui permettront de communiquer par l'intermédiaire
de neurotransmetteurs).

## Un contrôle rigoureux

Tous ces signaux sont codés par des gènes particuliers qui les expriment au moment opportun.

Certains d'entre eux sont diffusibles, c'est-à-dire qu'ils peuvent agir à distance ; d'autres sont fixes, portés par la membrane des cellules qui bordent leur trajectoire et représentent en quelque sorte un balisage de la voie à suivre (comme par exemple les molécules qu'on appelle "d'adhésion cellulaire du système nerveux").

Les règles génétiques qui président à la construction du cerveau sont donc très rigides.

Il est nécessaire qu'il en soit ainsi ; une espèce dont les règles de construction seraient soumises à trop d'incertitudes n'aurait que peu de chances d'être sélectionnée par l'Évolution.

Mais malgré la précision du calendrier et du programme d'architecture, malgré les contraintes des signaux de balisage, le cerveau en construction garde quand même un certain degré d'autodétermination.

## Une autonomie relative

En effet, signaux de balisage et molécules d'adhésion ou de différenciation déterminent le comportement de populations neuronales ; elles ne règlent pas l'appariement terme à terme, neurone par neurone, des éléments de cette population.

Les neurones "innervants" (on dit afférents) trouvent toujours leur partenaire au sein de la même population de neurones "innervés" ; mais le choix d'un partenaire à l'intérieur de cette population comporte une part de hasard.

En introduisant un nouvel élément d'ordre dans ces choix aléatoires des facteurs d'environnement – qu'on appelle épigénétiques puisqu'ils interviennent à côté, en marge des facteurs génétiques – peuvent interférer avec le programme génétique de construction du cerveau.

La marge d'indétermination dont nous avons parlé introduit un certain degré de plasticité dans le système ; des facteurs extérieurs à l'organisme, ou des influences qui s'exercent sur lui au cours de sa vie fœtale, peuvent ainsi modifier non seulement le fonctionnement du cerveau, mais aussi sa construction elle-même.

De plus, le neurone post-synaptique est également capable de rétroagir sur l'acquisition de propriétés particulières par le neurone présynaptique (par exemple la nature du neurotransmetteur qu'il utilisera pour leur communication) lors de la formation de leur synapse commune.

## Des neurones pluripotentiels

Nous pouvons illustrer cette plasticité par la série d'expériences maintenant classiques réalisées au début des années 1980 par l'équipe de Nicole Le Douarin.

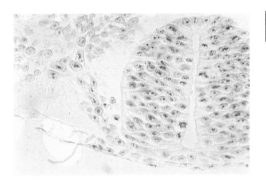

Ces chercheurs sont parvenus à greffer des neurones de caille dans le cerveau d'un embryon de poulet. Le cerveau – surtout le cerveau embryonnaire – présente une grande tolérance vis-à-vis de cellules étrangères ; les neurones fœtaux de caille peuvent donc se développer normalement dans leur nouvel environnement.

Des cellules de caille prélevées en un endroit précis de la crête neurale, et destinées à produire une catégorie déterminée de neurones – par exemple, des cellules utilisant l'acétylcholine comme médiateur – peuvent exprimer un autre médiateur si on les greffe dans une structure différente de celle où elles se développent normalement.

L'intérêt de réaliser de telles chimères (au sens étymologique, c'est-à-dire le mélange hybride d'espèces différentes) tient à la persistance des caractéristiques des cellules de caille, même quand elles se développent chez un poulet : on peut ainsi les identifier avec précision, et donc suivre leur dévelop-

Des cellules nerveuses de caille, reconnaissables à leur coloration rouge, ont été greffées dans un cerveau d'un embryon de poulet. Bien que d'espèces différentes, ces cellules demeurent compatibles entre elles. La réalisation de greffes croisées (introduction de neurones d'une structure cérébrale de caille dans une autre structure du cerveau de poulet) permet de montrer l'influence de l'environnement neuronal sur le développement des cellules greffées.

pement et leur migration jusqu'au stade adulte, bien qu'elles se soient alors complètement intégrées au cerveau de leur hôte.

D'autres méthodes ont permis de confirmer cette pluripotentialité des neurones en développement. En pratiquant des greffes de neurones dans un cerveau de rat ou de souris adulte, on s'est aperçu que la nature des neurotransmetteurs produits par le greffon dépendait en partie du site de la greffe. Un greffon produira par exemple tel neuromédiateur dans la moelle épinière et tel autre dans le cortex.

L'environnement du neurone au cours de son développement est donc capable d'influencer la nature des signaux qui lui permettront de communiquer lorsqu'il aura atteint l'état adulte.

## Un mécanisme de concertation

Ce phénomène assure la plasticité du système. Encore faut-il que cette plasticité n'en compromette pas le fonctionnement. Les signaux chimiques influencés par l'environnement d'un neurone doivent demeurer compatibles avec les récepteurs de son partenaire synaptique.

On connaît encore mal les règles qui permettent d'assurer cette compatibilité ; il semble qu'au moment où ils entrent en connexion pour la première fois, les neurones pré- et post-synaptiques soient capables de se "concerter" sur l'expression de signaux et de récepteurs compatibles.

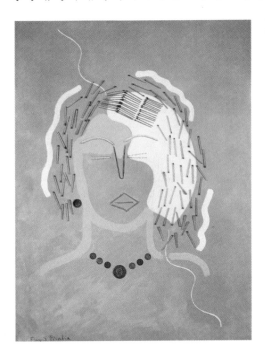

**H**uile et collage du peintre français Francis Picabia (1879-1953), *Femme aux allumettes*, 1924.

Conformément à ce que suggèrent les expériences de greffe, la préséance dans ce choix pourrait bien revenir au neurone post-synaptique, capable de modifier la sélection de tel ou tel neuromédiateur par les axones qui lui parviennent.

La coopération entre deux ordres de mécanismes, ceux qui assurent la programmation génétique de la construction du cerveau et ceux qui permettent de modifier cette construction en fonction de l'environnement périnatal, joue un rôle capital dans l'adaptation des structures du cerveau aux conditions dans lesquelles elles devront opérer.

Des premiers dépend l'invariance d'architectures cérébrales résultant d'une sélection plusieurs fois millénaire de configurations génétiques efficaces ; des seconds dépend la capacité d'intégrer dans ces architectures des éléments conjoncturels – telle contrainte de l'environnement, telle propriété du milieu extérieur qui n'étaient pas forcément les mêmes il y a des milliers d'années. En interagissant l'un avec l'autre, ces deux mécanismes permettent ainsi la recherche d'un compromis entre les exigences contradictoires de stabilité des espèces et de promotion des qualités individuelles nécessaires pour améliorer les chances d'adaptation de chaque individu. ■

# Chapitre 5

# VISION, MÉMOIRE : DES OPÉRATIONS CODÉES

L'œil de la mouche est composé de facettes (les *omatidies*). Les neurones de la mouche construisent une image à partir des signaux électriques émis par chaque facette en réponse à une stimulation lumineuse. L'image est relativement floue mais permet une excellente détection des mouvements.

Le cerveau dispose de capteurs capables de détecter tout changement survenant dans notre environnement : les organes des sens. Cependant, avant de pouvoir être transmis aux structures d'analyse du cortex cérébral, les paramètres physiques ou chimiques qui nous renseignent sur ces changements subissent de nombreuses transformations.

Ces transformations font appel à des mécanismes de codage ; la transmission, puis le traitement de l'information visuelle en sont un bon exemple.

Les éléments visuels de l'environnement sont d'abord perçus par des cellules spécialisées de la rétine, les *cônes* et les *bâtonnets*. Il existe des cônes et des bâtonnets de plusieurs tailles, sensibles à différents aspects du "paysage", c'est-à-dire spécialisés dans la perception des différentes propriétés visuelles des objets : intensité lumineuse, couleur, contraste ou encore mouvement.

Ces cellules contiennent de l'*opsine*, un détecteur de lumière spécialisé dont la structure chimique ressemble beaucoup à celle des récepteurs membranaires que nous avons déjà rencontrés. L'opsine fait partie de la même famille qu'un des récepteurs de la noradrénaline, comme lui, elle est couplée à une protéine de la famille "G" (en l'occurrence, la transducine). L'arrivée d'un *photon* sur la molécule d'opsine agit comme la liaison d'un signal chimique à son récepteur : elle modifie sa configuration et initie une réaction en chaîne dans la cellule. Compte tenu de l'énorme disproportion entre l'énergie d'un photon et celle mise en jeu par la réponse chimique de la cellule, la rétine représente un remarquable dispositif d'amplification de l'énergie.

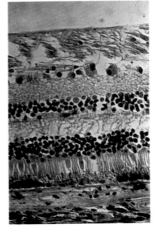

Cônes et bâtonnets (filets bruns, points noirs) de la rétine, situés dans la couche supérieure brune au-dessus de la couche ganglionnaire d'où sont issues les fibres du nerf optique.

# Projections rétiniennes et traitement de l'information visuelle

Cônes et bâtonnets envoient des axones courts vers une autre catégorie de cellules rétiniennes, les cellules ganglionnaires. La répartition des cônes et des bâtonnets n'est pas homogène dans les divers champs de la rétine (au centre, à la périphérie, dans ses portions supérieures ou latérales). Selon les cas, les cônes et les bâtonnets peuvent être connectés à une ou à plusieurs cellules ganglionnaires. Les axones des cellules ganglionnaires établissent deux types de connexions : ils constituent les nerfs optiques ; mais ils sont également capables de relier entre elles différentes cellules ganglionnaires, de sorte que, dès ce premier relais, l'information transmise vers les structures centrales du cerveau peut diffuser vers des voies parallèles (il y a en quelque sorte interconnexion des projections des cellules rétiniennes).

Les fibres du nerf optique aboutissent au corps genouillé, structure qui relaie l'information visuelle vers des aires corticales spécialisées dans son traitement. Ces projections font l'objet d'un plan très rigoureux de câblage en réseau, qui va permettre l'acheminement de l'information codée.

En quoi consiste ce codage ? Au niveau de la rétine, les cellules ganglionnaires sont capables d'inhiber leurs voisines ; plus un élément déterminé du système est stimulé, plus les éléments voisins sont donc désactivés.

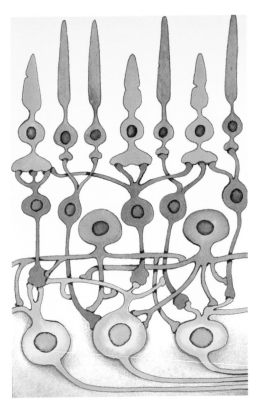

**R**eprésentation schématique des fibres nerveuses émises par la rétine. Des cellules bipolaires (violet) relaient l'influx ; provenant des photorécepteurs (les cônes et les bâtonnets figurés respectivement en rose et en bleu) jusqu'à la couche de cellules basales (jaune), émettrice des fibres du nerf optique. Les cellules ganglionnaires (vert), elles, établissent des contacts horizontaux entre le câblage parallèle des éléments précédents. Elles permettent ainsi de renforcer l'effet de contraste entre cônes et bâtonnets, en inhibant les cellules basales voisines de celles activées.

Deux cellules rétiniennes inégalement activées répondent donc par une augmentation de leur effet de contraste, et tendent ainsi à produire des signaux de type "tout ou rien" (ce qu'on appelle en électronique des "0" et des "1"). C'est donc sous forme de "bits", un peu comme dans un système informatique, que l'information visuelle est transmise aux structures corticales chargées de son intégration, situées elles-mêmes dans la partie latérale du lobe occipital.

Les différentes propriétés des objets – forme, position, mouvement, luminosité, couleur... – sont codées de manière indépendante ; les centres supérieurs les analysent séparément, puis "reconstruisent" l'objet à partir de ces éléments, en confrontant son image avec toutes les données pertinentes disponibles dans la mémoire du sujet.

La représentation visuelle d'un objet est ainsi le produit de très nombreuses transformations étrangères à la nature de l'objet lui-même (puisqu'elles relèvent d'une logique d'analyse, celle du cerveau, qui s'est en partie développée indépendamment de l'environnement physique du sujet). La perception de la réalité du monde extérieur est donc relative, essentiellement conditionnée par la cohérence du système biologique de traitement de l'information.

## Conditionnement, apprentissage, mémoire

Le concept de mémoire recouvre des réalités très différentes. Qu'y a-t-il de commun en effet entre des opérations auxquelles nous appliquons pourtant le même terme : la reproduction d'un comportement stéréotypé chez un insecte ; les réflexes conditionnés ; l'évocation inconsciente d'expériences suscitant des comportements d'attraction ou de répulsion ; la mémorisation à court terme d'un numéro de téléphone ; ou encore celle d'une phrase prononcée dans des circonstances telles qu'on ne l'oubliera jamais ?

La diversité de ces opérations ne facilite pas l'étude des mécanismes biologiques qui permettent au cerveau de les effectuer. Cependant, malgré leurs évidentes différences, elles comportent des phases communes – l'insertion d'une donnée en mémoire, sa conservation et sa restitution – qui permettent d'en aborder les mécanismes grâce à deux types de démarches méthodologiques.

■ L'une, directe, n'est praticable que chez l'animal : elle vise à enregistrer l'activité électrique ou métabolique de neurones au cours de séances de conditionnement ou d'apprentissage, deux formes simplifiées de mémorisation. Le repérage des neurones actifs permet alors de localiser les structures mises en jeu. Des études de cette nature ont été pratiquées sur le cerveau simplifié des invertébrés, mais aussi sur de petits rongeurs et parfois sur des singes.

■ L'autre méthode, indirecte, peut être utilisée chez les humains ; elle se fonde sur l'analyse des déficits ou des troubles de mémoire constatés chez des sujets porteurs d'une lésion cérébrale.

La confrontation de ces données montre qu'une structure cérébrale particulière, située sous le cortex cérébral et organisée comme lui en couches alternées de neurones et de fibres, joue un rôle essentiel dans les processus de mémorisation des mammifères. Cette structure a été baptisée *hippocampe* de par sa (relative) ressemblance, sur des coupes longitudinales, avec le poisson du même nom.

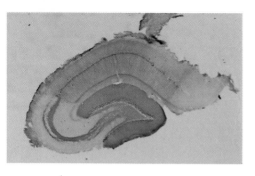

**V**ue latérale de l'hippocampe du rat, montrant sa structure en couches repliées. L'hippocampe joue un rôle important dans les processus de mémorisation.

La perte d'un nombre limité de neurones hippocampiques entraîne d'importants déficits de mémoire, alors que des destructions bien plus importantes dans d'autres structures sont sans effet. La destruction ou la dégénérescence de voies nerveuses innervant l'hippocampe, telles qu'on les observe dans certaines maladies dégénératives, entraîne aussi une détérioration de la mémoire. Suivant la localisation précise des neurones atteints, l'acquisition, la conservation ou, au contraire, la restitution d'un souvenir ou d'un conditionnement souffriront davantage.

## Les bases moléculaires de la mémoire

Que peut-on dire des bases moléculaires de la mémoire ? Les propriétés fondamentales des neurones de l'hippocampe changent au cours de l'acquisition et de la restitution des données mémorisées. Conditionné par une stratégie de "carotte et de bâton" associant la présentation d'une consigne avec une punition (un stimulus douloureux par exemple) ou une récompense, un animal apprend vite à éviter l'une et à obtenir l'autre. Le temps d'acquisition du conditionnement et la durée de sa rétention (celle pendant laquelle la "leçon" reste apprise) reflètent une fonction "mémoire".

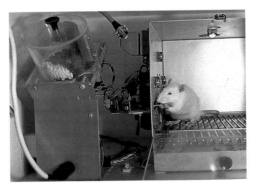

Enregistrement de comportements chez le rat. L'animal a été entraîné à "commander" sa nourriture en appuyant sur une pédale. L'administration de médiateurs, comme par exemple certaines interleukines qui induisent un "comportement de maladie", se traduisant notamment par une perte d'appétit, un état de prostration et une poussée de fièvre.

En mesurant ces paramètres et en les mettant en relation avec l'enregistrement électrique des neurones ou l'intensité de leurs échanges pendant qu'ils "traitent" l'information conditionnante, on peut donc obtenir un aperçu des mécanismes biologiques de la mémoire. La quantité de médiateurs chimiques échangés dans l'hippocampe dépend de l'intensité du stimulus conditionnant. L'un de ces médiateurs – le glutamate, un acide aminé activateur très répandu dans le système nerveux – peut être reconnu par plusieurs types de récepteurs présentant des paliers de sensibilité différents. Des combinaisons différentes de récepteurs peuvent donc être recrutées lorsque la concentration de glutamate augmente dans la synapse.

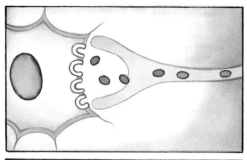

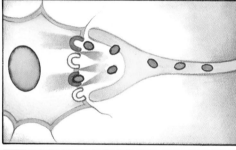

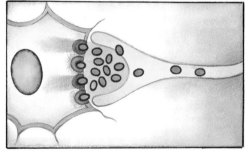

■ Aux faibles concentrations, le récepteur le plus sensible répond en provoquant un flux d'ions calcium et une activation transitoire des cellules. Les neurones reviennent ensuite à leur état de repos. Une concentration supérieure active en plus un autre type de récepteur couplé à des enzymes ;

**S**chéma de la potentialisation à long terme. De haut en bas : la réception dans une synapse de l'hippocampe de quelques molécules-signal (mauve) émises par l'axone de droite agit sur une première catégorie de récepteurs postsynaptiques (en rouge dans la membrane du neurone de gauche), provoquant l'activation de ce dernier et l'émission d'un nouveau signal (vert) qui va augmenter considérablement la libération des molécules mauves et donc leur concentration dans la synapse. Ces dernières activent alors une catégorie de récepteurs (bleu) qui provoquent l'"emballement" du neurone de gauche et modifient durablement les propriétés de ses récepteurs.

comme nous l'avons vu, ce couplage va entraîner une modification de la conformation, et donc des propriétés, de plusieurs protéines de la cellule.

■ Ces modifications vont à leur tour amplifier le flux calcique, mais aussi le prolonger, car le retour des protéines à leur conformation initiale demande du temps.

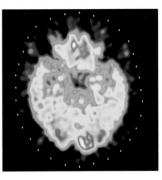

■ Enfin, aux très fortes concentrations, une troisième voie va être mise en jeu par le glutamate et conduire à potentialiser la transmission synaptique pendant plus longtemps encore.

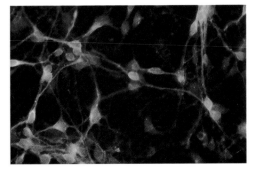

Ce phénomène, appelé *potentialisation à long terme*, confère temporairement des propriétés nouvelles aux réseaux neuronaux concernés. Lorsqu'elle implique des intensités de stimulation assez fortes, une seule séance de conditionnement peut ainsi modifier les propriétés des neurones pendant plusieurs jours.

La tomographie par émission de positons (en haut) permet de suivre la distribution dans le cerveau de molécules préalablement marquées. On met ainsi en évidence les structures activées par l'exécution d'une tâche, en enregistrant, en fonction du temps, les changements de densité du marqueur. En bas, mise en évidence du glutamate par immunofluorescence dans des neurones en culture.

Selon l'intensité du processus d'apprentissage, les réseaux neuronaux de l'hippocampe ne traitent donc pas l'information de la même manière.

**G**ouache du peintre surréaliste belge René Magritte (1898-1967), *La mémoire*, 1948.

L'apprentissage peut aussi être modulé par la réaction affective du sujet à la présentation des "carottes" et des "bâtons", dont l'hippocampe est informé par l'intermédiaire des nombreux faisceaux nerveux qui lui parviennent.

Les performances de la "mémoire" sont ainsi très dépendantes du contexte émotionnel de l'apprentissage. ■

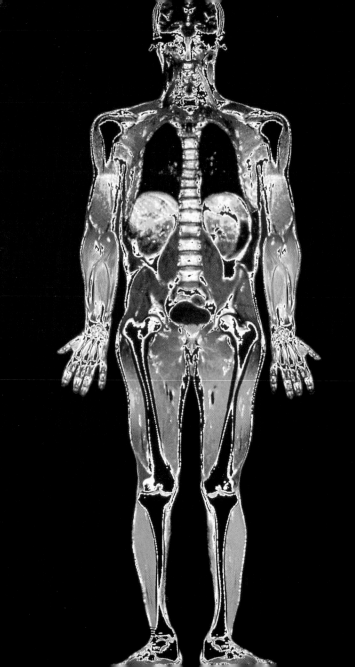

# Chapitre 6

# LE CERVEAU, COORDINATEUR DE LA PHYSIOLOGIE

Le cerveau n'est pas seulement
le siège de notre intelligence ;
il veille aussi avec un soin
extrême sur toutes nos fonctions
physiologiques.
On appelle *végétatives*
ces fonctions que le cerveau
contrôle de manière automatique
ou inconsciente, grâce
aux informations qui lui
parviennent de l'environnement.

**R**eprésentation du corps humain en résonance magnétique nucléaire. Les différentes couleurs sont arbitraires et correspondent à des intensités de résonance différentes.

La commande cérébrale de ces fonctions est principalement relayée par le système nerveux périphérique, qui met le cerveau et la moelle épinière en contact avec les autres organes. Les fonctions végétatives permettent à l'organisme d'assurer l'intendance organique de ses comportements. Lorsque le cerveau engage un comportement de fuite, des réactions organiques appropriées – par exemple une hypersécrétion d'adrénaline accélérant la fréquence cardiaque ou modifiant l'humeur – vont favoriser la mobilisation de l'ensemble des ressources énergétiques de l'organisme pour faire face au danger.

## Le contrôle des organes internes

C'est une structure spécialisée située à la base du cerveau, l'*hypothalamus*, qui est chargée de gérer cette intendance. Ses réseaux neuronaux peuvent contrôler le fonctionnement de tous les organes, en particulier les processus automatiques ne nécessitant pas l'intervention de la conscience comme le réglage de la température corporelle ou de la pression sanguine.

D'autres réactions sont semi-automatiques, comme la respiration – une des rares régulations végétatives avec laquelle nous puissions interférer volontairement –, ou encore la faim et la soif qui ne peuvent trouver leur assouvissement qu'à travers des comportements volontaires et nécessitent donc l'intervention de la volonté et de la conscience.

Trace d'une électrode ayant permis d'enregistrer l'activité du noyau du tractus solitaire, groupe de neurones jouant un rôle important dans le contrôle de fonctions automatiques, par exemple la fréquence respiratoire.

Le sommeil, les bases émotionnelles de l'agressivité, le comportement sexuel sont également gérés dans une grande mesure par des structures situées dans l'hypothalamus. Les sécrétions hormonales comportent elles aussi une commande centrale hypothalamique, assurée par des neurones d'interface qui font communiquer le cerveau et des cellules *endocrines* (du grec *crinein*, sécréter et *endo*, vers l'intérieur – de l'organisme) de l'*hypophyse*, une petite glande voisine de l'hypothalamus qui tient la sécrétion de presque toutes les hormones sous sa dépendance. C'est par son truchement que le cerveau assure le contrôle des glandes surrénales et des glandes génitales ; qu'il intervient dans la lutte contre le froid en mettant en jeu la sécrétion des hormones thyroïdiennes ; qu'il règle la croissance (par une hormone agissant sur le développement des cartilages et des articulations et intervenant dans la transformation métabolique des lipides) et la production de lait chez les mammifères (au moyen d'une autre hormone, la prolactine).

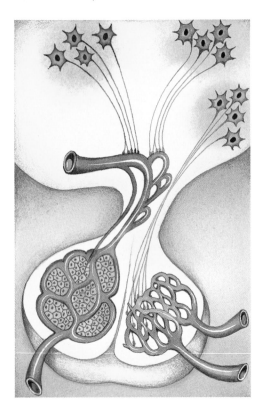

Le complexe formé par l'hypothalamus (en haut) et l'hypophyse (en bas). Située juste sous la base du cerveau, l'hypophyse est une glande entièrement contrôlée par l'activité des neurones hypothalamiques. Ceux-ci présentent la particularité de sécréter leur médiateur dans un réseau *sanguin* (et non dans une synapse) : il s'agit donc d'une véritable sécrétion hormonale. Les neurones "jaunes" sécrètent directement la vasopressine et l'ocytocine dans la circulation générale, au niveau du lobe postérieur de l'hypophyse (à droite) ; ces hormones agissent sur la pression sanguine et sur la sécrétion du lait. Les neurones "verts" et

## Des horloges internes

Les fonctions physiologiques présentent toutes des *rythmes*, qu'illustrent par exemple les phases de sommeil et de veille. Le cerveau intervient dans la synchronisation de ces rythmes ; il dispose pour cela de véritables "horloges internes", que les rythmes extérieurs ou cosmiques – alternance jour-nuit ou variations des saisons – remettent périodiquement à l'heure.

Le fonctionnement de ce métronome dépend de réseaux neuronaux, également situés dans l'hypothalamus et câblés en boucles, qui fonctionnent comme de véritables circuits oscillants.

La fréquence des rythmes biologiques est très variable ; certains sont très longs, comme les cycles saisonniers de reproduction de la plupart des animaux, sélectionnés sur leur capacité à assurer la naissance des petits dans les meilleures conditions climatiques.

Leur réglage fait appel à des structures nerveuses capables de détecter de faibles différences de longueur du jour.

"roses" (issus du noyau paraventriculaire) n'envoient leurs signaux chimiques que vers le lobe antérieur de l'hypophyse (à gauche en bas), où ils entraînent la sécrétion des hormones hypophysaires.

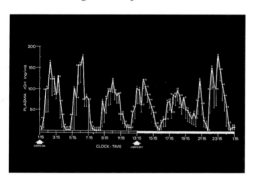

## Rythmes circadiens

D'autres rythmes, plus connus, sont dits *circadiens* (du latin *circa* et *dies*, "approximativement un jour"). Approximativement en effet : en l'absence de "synchroniseur" externe – par exemple lorsque l'animal est artificiellement plongé dans l'obscurité permanente sans aucun repère extérieur pour

**S**écrétion rythmique d'une hormone hypophysaire (hormone de lutéinisation). L'échelle des temps (en abcisse, en bas) est en minutes ; en ordonnée, les concentrations d'hormone dans le sang (millionièmes de grammes/litre). Les cibles de cette hormone, en particulier au niveau de l'ovaire et du testicule, sont sensibles à la fréquence de stimulation et à son intensité.

structurer son temps –, le rythme circadien s'établit spontanément à une durée constante légèrement différente de 24 heures (dans l'obscurité permanente, cette période est supérieure à 24 heures pour les espèces nocturnes, et inférieure pour les espèces diurnes).

La lumière du jour, mais aussi, à défaut, des bruits périodiques réguliers peuvent agir comme des synchroniseurs du rythme interne qu'ils "calent" sur leur propre période (en général 24 heures précises).

Cette remise à l'heure de l'horloge interne est assurée par des structures nerveuses spécialisées, notamment un petit noyau très proche du point d'entrée des nerfs optiques dans le cerveau : le *noyau suprachiasmatique*, qui reçoit des fibres venant directement de la rétine, et dont l'activité varie brutalement en fonction des changements d'intensité lumineuse.

Enfermé sous terre, le spéléologue Pascal Barrier s'est trouvé soustrait pendant plus de 100 jours à l'influence du rythme jour-nuit. Dans ces conditions, la mesure des rythmes biologiques permet d'évaluer en "libre cours" les propriétés de notre horloge interne, qui synchronise alors nos fonctions biologiques sur une durée légèrement inférieure à 24 heures.

## L'épiphyse

Une petite glande située sous le cortex cérébral, l'épiphyse, participe également à la synchronisation des rythmes. Elle a connu sa plus grande notoriété lorsque Descartes y localisa le siège de l'âme.

Ses cellules contiennent des pigments si sensibles à la lumière qu'ils peuvent même la détecter à travers le crâne, déclenchant la sécrétion d'une hormone, la mélatonine, facteur important de régulation circadienne chez les batraciens et les oiseaux.

Chez les mammifères supérieurs, l'épiphyse représente plus une survivance qu'un organe vital, bien qu'elle intervienne peut-être dans le réglage de certains rythmes de l'activité psychique.

Les rythmes circadiens sont en rapport de phase constants, ce qui permet une utilisation mieux coordonnée des ressources de l'organisme. En agissant sur la disponibilité du glucose, aliment énergétique essentiel des cellules, le rythme circadien d'une hormone produite par la glande surrénale (le cortisol) favorise l'alimentation des cellules nerveuses pendant les phases de sommeil, celles où l'animal ne peut pas renouveler son stock de nutriments.

Les difficultés liées au déphasage horaire tiennent au délai nécessaire au cycle hormonal pour s'adapter à un nouveau rythme extérieur : dans l'intervalle, l'alimentation énergétique du cerveau pendant le sommeil est moins bien assurée.

Il existe aussi des rythmes *infradiens* (de période inférieure à la journée), qui se manifestent notamment dans les sécrétions hormonales. Ces rythmes sont générés par des réseaux de neurones câblés en boucle, capables d'émettre des messages périodiques à des fréquences variant entre une seconde et une heure.

## Sommeil et rêve

Le sommeil est également une fonction rythmique prise en charge par des réseaux de neurones situés dans les zones profondes du cerveau. Sa fréquence majeure est circadienne ; mais le sommeil se déroule en phases alternées durant environ une heure : une phase de sommeil *lent*, ainsi dénommé parce qu'il s'accompagne d'une activité électrique corticale de basse fréquence, et une phase de sommeil dit *paradoxal*. En effet, bien qu'elle corresponde à un sommeil profond, cette phase s'accompagne d'une activité électrique intense et rapide du cortex cérébral.

**T**racés enregistrés au cours du sommeil normal. La ligne de base représente les phases de sommeil lent, interrompues par des périodes de sommeil paradoxal (en rouge).

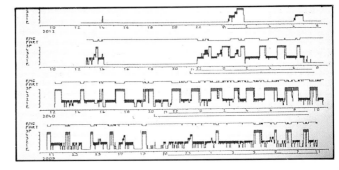

Cette activité intense s'explique par la présence de rêves qui caractérise la phase de sommeil paradoxal.

Le rêve est une activité particulièrement intéressante. Il semble apparaître à une période relativement récente de l'évolution des espèces – il ne semble pas que les poissons ou les batraciens sachent rêver.

Il présente en outre une répartition variable d'une espèce à l'autre, mais constante à l'intérieur d'une espèce ou chez un même individu.

**C**hat en phase de sommeil paradoxal. Les muscles de l'animal sont au repos mais ses rêves s'accompagnent d'une intense activité cérébrale.

La privation de sommeil paradoxal entraîne des troubles graves ; sa suppression pose rapidement un problème de survie, et tout retard de sommeil paradoxal est rattrapé en totalité à la première occasion.

Il semble, en revanche que l'on puisse se passer sans dommage des autres phases du sommeil.

Bien des hypothèses ont été avancées pour expliquer le rôle du rêve. En favorisant la superposition sans contrainte des images et des représentations, il permet de les mettre plus librement en perspective, favorisant la réassociation des expériences récentes selon des combinatoires originales. Des artistes ou des scientifiques ont témoigné de leur découverte soudaine, au réveil, du sens d'éléments mal compris pendant la veille et remis en ordre à travers un rêve. La signification nouvelle vient alors d'un enrichissement de la mémoire consciente par l'ensemble des données inconscientes, réprimées lorsqu'un sujet concentre sa volonté vers un but précis. Mais le rêve peut aussi correspondre à un simple travail d'entretien des réseaux neuronaux, leur évitant de trop longues périodes d'inactivité. Le sommeil paradoxal est une des premières grandes fonctions du cerveau que l'on a su corréler avec l'intensité des échanges de signaux entre neurones.

Un chercheur français, Michel Jouvet, parvint en 1960 à identifier ce signal ; il s'agit d'un neuromédiateur, la sérotonine, qui trouvait là une de ses premières applications physiologiques. On s'est aperçu depuis que la sérotonine n'était pas seule en cause ; d'autres médiateurs ont été découverts depuis, en particulier un neuropeptide inducteur de sommeil. Des recherches génétiques récentes suggèrent que des gènes codant pour des neuromédiateurs pourraient jouer un rôle important dans la détermination des rythmes du sommeil.

LE CERVEAU, COORDINATEUR DE LA PHYSIOLOGIE

## La douleur

On désigne par le terme de *réflexes noci-ceptifs* la chaîne de réactions qui, partant de capteurs sensoriels et aboutissant à un mouvement, permet à l'organisme d'éviter les facteurs nocifs de son environnement.

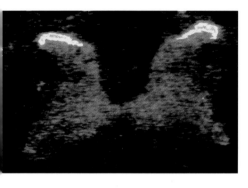

**D**istribution des récepteurs de la morphine (jaune) dans les cornes dorsales de la moelle épinière de rat. Le marquage a été obtenu en incubant des coupes de moelle avec une molécule morphinomimé-tique radioactive qui s'est accumulée au niveau des récepteurs. Ces récepteurs jouent un rôle important dans le traitement de l'information douloureuse.

La perception de la douleur résulte du trai-tement de cette information par des centres corticaux.

Les capteurs nociceptifs envoient au cer-veau plusieurs types de messages. Les mes-sages de localisation sont traités par des neurones de la structure centrale présentant une organisation topographique (et qui re-flètent donc les différentes parties du corps). Les messages d'alerte, eux, sont transmis seulement lorsque l'intensité du stimulus dépasse un seuil tolérable.

Dans ce dernier cas, l'information est trai-tée par des structures diffuses, mises en jeu quel que soit le point d'application du sti-mulus douloureux.

Le traitement de l'information douloureuse peut être subordonné à des contraintes de défense de l'organisme : une douleur nouvelle peut atténuer la perception d'une douleur plus ancienne ; une émotion forte, accompagnant par exemple une agression physique, peut différer la perception de la douleur. De telles modulations des seuils de sensibilité douloureuse dépendent de neuromédiateurs comme les peptides morphinomimétiques, ainsi nommés parce que la morphine agit sur leurs récepteurs et reproduit leurs effets – d'où son action antalgique.

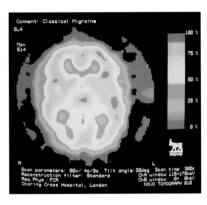

mage en tomographie photonique du cerveau d'un sujet atteint d'une crise de migraine. La crise s'accompagne d'un accroissement du flux sanguin dans un hémisphère, matérialisé ici par les taches rouges visibles sur le côté droit.

## Stress et adaptation

Tout organisme vivant est soumis à la pression permanente du changement. Sa survie dépend de sa capacité de s'y adapter, donc de demeurer égal à lui-même et de préserver son identité dans un monde mouvant. Cette pression est parfois ressentie comme une agression du milieu.

L'adaptation au changement est entièrement contrôlée par le cerveau ; elle fait appel à des régulations nerveuses regroupées sous l'appellation générique de stress. Ce concept s'applique en fait à toutes les réponses adaptatives, qu'elles aboutissent ou non : l'inventeur de la notion de stress, le physiologiste canadien Hans Selyé, le définissait comme "la réponse que fait l'organisme à toute demande qui lui est faite". Là encore, le premier rôle est tenu par l'hypothalamus, grâce à un ensemble de neurones rassemblés dans le noyau paraventriculaire, qui fonctionne comme un poste de contrôle des réponses adaptatives. Il reçoit l'information relative au bon déroulement des comportements adaptatifs ou à leur défaillance, et la traduit en réponses organiques, végétatives ou hormonales, destinées à faciliter leur exécution. Notre organisme est sans cesse confronté à des "défis". Les défis peuvent être de nature physique : un changement de température par exemple nous oblige à modifier notre programme de production et de conservation de chaleur.

## Défis psychologiques et sociaux

Mais les défis sont souvent de nature psychologique et font alors appel à des émotions, comme le découragement ou la peur face à un geste agressif. D'autres défis sont d'ordre social, par exemple lorsque nous sommes sollicités par une demande ou une consigne de notre groupe social. Entrent dans ce cas les contraintes professionnelles – des tâches que nous accomplissons en réponse à des consignes précises, dans lesquelles nous sommes d'autant plus à l'aise que nous y sommes entraînés.

Mis en présence d'un défi, notre cerveau déclenche une activité d'exploration de la solution appropriée dans le vaste répertoire dont il dispose. Il peut faire appel à des réflexes – le frisson qui produit de la chaleur sans intervention de la volonté du sujet – ou à des actes volontaires – fuir, ou courir pour se réchauffer ; ou encore, en réponse à un défi professionnel, choisir le comportement le mieux adapté à la consigne dans la gamme des stratégies sélectionnées par notre expérience et stockées dans notre mémoire.

Cette phase d'exploration s'accompagne de réactions organiques qui visent à renforcer l'efficacité de la réponse choisie ; elle implique notamment l'activation de neurones situés dans le cerveau, mais aussi à la périphérie (en particulier dans la glande surrénale) et produisant la *noradrénaline*.

La noradrénaline agit sur de nombreuses cibles, en particulier dans le système cardio-vasculaire. Elle est responsable de la sensation de tension qui accompagne l'exécution d'une tâche délicate ; mais elle joue un rôle positif dans la stratégie générale d'adaptation aux consignes, dans la mesure où elle favorise l'attention, permet une meilleure oxygénation des muscles et contribue à la mobilisation de l'énergie.

**C**ontrôleur aérien devant son écran. L'accomplissement de sa tâche s'accompagne de la libération d'hormones qui l'aident à mobiliser son attention. Une succession trop rapide de tâches ou un comportement anormal de l'un d'eux entraînerait en outre la sécrétion d'hormones de détresse.

Dans la plupart des cas, l'organisme, ainsi "dopé" trouve une réponse adaptée dans le répertoire de conduites dont il dispose. La mobilisation de son intendance organique n'a donc qu'un caractère temporaire.

Mais il arrive que le comportement n'aboutisse pas au résultat escompté : la conduite dictée par notre expérience professionnelle n'était pas la bonne ; ou encore, un élément extérieur, par exemple un outil, n'a pas répondu à notre attente. La réaction adaptative, mise en échec, débouche alors sur un comportement de détresse.

**La** mobilisation d'énergie nécessaire au combat résulte notamment de la sécrétion des "hormones du stress".

## La relation psychosomatique

Le comportement de détresse s'accompagne de réactions d'intendance particulières, comme si l'organisme se préparait à un siège prolongé ou à un effort soutenu pour rétablir son équilibre avec le milieu. Il implique d'autres molécules que la noradrénaline, notamment les médiateurs *morphinomimétiques* que nous avons déjà rencontrés à propos de la douleur (p. 86), et qui sont en quelque sorte des médiateurs de l'état d'urgence.

Ces médiateurs de l'état d'urgence fonctionnent un peu à la manière d'une sirène d'ambulance, qui confère une priorité sur la signalisation normale du trafic. Les analogues internes de la morphine suspendent temporairement la transmission des messages non prioritaires ; en interférant avec la régulation habituelle des organes, ils permettent à l'organisme de disposer de toute son énergie pour gérer ses priorités.

**R**eprésentation de l'angoisse par le peintre norvégien Edvard Munch (1863-1944), *Le cri*, 1893.

Nous l'avons déjà observé à propos de la douleur : information nécessaire en temps normal, la sensation de douleur ne peut que distraire le sujet exposé à une agression de sa tâche la plus urgente, mettre en œuvre une stratégie de survie comme la fuite ou la résistance.

L'intervention des signaux d'urgence est bénéfique – ou, pour l'exprimer en termes moins finalistes, sélective, c'est-à-dire qu'elle tend à favoriser les espèces et les individus qui en disposent pour mieux mobiliser l'ensemble de leurs forces.

Mais l'organisme ne peut survivre longtemps au maintien de l'état d'urgence ; lorsque sa stratégie adaptative n'aboutit pas, les molécules de sélection des priorités perturbent la régulation des organes sans pour autant mettre fin à la situation critique qui justifiait leur intervention.

En cas d'échec de la stratégie adaptative, les hormones du stress se comportent alors comme des molécules trouble-fête, des vecteurs de somatisation – c'est-à-dire des signaux qui, en déréglant le fonctionnement normal des organes, les prédisposent à des comportements pathologiques. Des maladies sans lien apparent avec le trouble adaptatif initial peuvent ainsi survenir, favorisant l'apparition de désordres cardiovasculaires, ou même de troubles immunitaires ou de cancers.

## Cerveau et système immunitaire

On commence à peine à déchiffrer les mécanismes mis en jeu dans les relations entre cerveau et système immunitaire, qui impliquent l'échange de signaux communs entre eux.

On sait par exemple qu'un médiateur de l'immunité sécrété sous l'influence d'une infection bactérienne et responsable de la prolifération des cellules immunitaires (l'*interleukine 1*) peut agir directement sur l'hypothalamus. Il y provoque à la fois la fièvre et la mobilisation d'une hormone hypophysaire (l'hormone corticotrope). Par l'intermédiaire de la glande surrénale, cette hormone exerce un effet anti-inflammatoire sur les tissus infectés.

Une même molécule est ainsi capable d'exercer plusieurs effets convergents pour renforcer l'efficacité des défenses immunitaires : mobiliser les défenses immunitaires chargées de détruire l'agresseur bactérien, provoquer la fièvre qui freine la multiplication des bactéries, et éviter une réaction inflammatoire excessive.

Interactions entre le système nerveux et le système immunitaire. Des hormones sécrétées par l'hypophyse peuvent, de façon directe (faisceau vert) ou par l'intermédiaire d'autres glandes (la glande surrénale sur ce schéma, faisceaux mauve et bleu) affecter les propriétés des cellules responsables de l'immunité (en particulier les lymphocytes figurés à droite en rouge). Dans certaines conditions, ces derniers sont également capables d'envoyer des messages (faisceau orange) aux neurones du cerveau qui contrôlent les sécrétions de l'hypophyse.

À l'inverse, en modifiant le fonctionnement du système immunitaire, le cerveau ou les hormones qu'il contrôle peuvent modifier la susceptibilité de l'organisme vis-à-vis de certaines infections. C'est ainsi que les hormones du stress peuvent influencer les cellules responsables de nos défenses immunitaires. Des sujets dépressifs voient alors leurs réponses immunitaires atténuées ; des lymphocytes prélevés avant ou après un deuil répondent moins intensément à la présence d'un antigène (les éléments qui déclenchent la production d'anticorps), même ajouté dans un tube à essai.

Des difficultés adaptatives chroniques peuvent également perturber la distinction que font les cellules immunitaires entre les antigènes du soi et du non soi. Avec des conséquences souvent très dommageables : les erreurs de reconnaissance entre antigènes du soi et du non soi peuvent perturber la lutte contre des cellules tumorales, ou encore favoriser la destruction erronée de nos propres constituants cellulaires, entraînant ainsi des maladies auto-immunes.

Les réponses immunitaires peuvent aussi être conditionnées par des stimuli sensoriels, comme la salivation du chien de Pavlov. Après avoir associé plusieurs fois de suite un signal sonore à l'administration d'une toxine bactérienne, on peut relancer la production d'anticorps par la seule exposition au signal sonore. Cette expérience démontre bien que le cerveau est capable d'exercer un contrôle direct sur les cellules immunitaires. ■

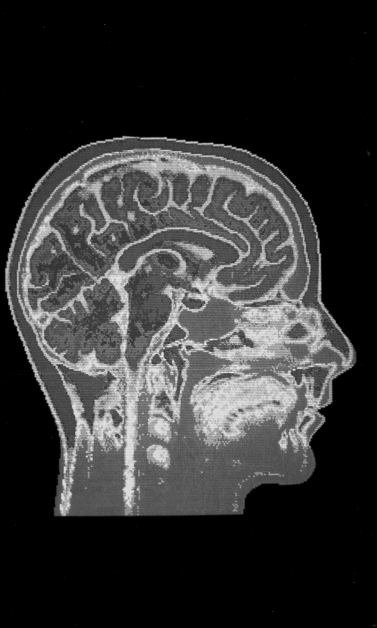

# Chapitre 7

# LES FONCTIONS SUPÉRIEURES DU CERVEAU

Malgré les incontestables progrès
de la neurobiologie,
c'est paradoxalement à travers
l'étude des maladies du cerveau
– la *neuropathologie* –
que la connaissance des
fonctions supérieures du cerveau
réalise encore ses plus
importantes percées.

Image
spectaculaire
du cerveau
vu par
résonance
magnétique
nucléaire.

Les principales hypothèses sur le rôle des aires cérébrales ont été obtenues en corrélant des troubles ou des symptômes avec la localisation et l'étendue de lésions cérébrales examinées après la mort. Les structures intervenant dans le traitement de l'information sensorielle, le contrôle de la motricité, le langage, ou encore la spécialisation fonctionnelle de chaque hémisphère cérébral, ont été repérées grâce à l'étude de modèles pathologiques.

Pendant longtemps, les structures correspondant à un trouble déterminé ne pouvaient être identifiées que de manière rétrospective, c'est-à-dire après la mort du malade. Seul l'examen anatomo-pathologique post mortem pratiqué après autopsie permettait en effet de localiser avec suffisamment de précision la lésion responsable des déficiences diagnostiquées chez le patient. Cet examen fournissait des renseignements sur le site, la nature et l'étendue des lésions, mais il ne permettait pas d'évaluer le mauvais fonctionnement éventuel de structures apparemment intactes.

## Les techniques d'exploration du cerveau

Les méthodes permettant d'étudier les bases morphologiques et physiologiques des troubles cérébraux ont subi une véritable révolution au cours des vingt dernières années, grâce à la mise au point de techniques d'exploration directe du fonctionnement cérébral.

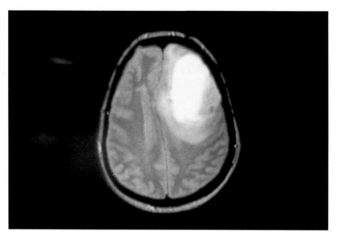

Ces techniques sont plus ou moins dérivées des méthodes de la radioscopie et de la radiographie, qui permettaient déjà de visualiser des anomalies, de localiser une tumeur ou d'observer la déformation d'un ventricule cérébral après avoir "marqué" les vaisseaux ou les ventricules du cerveau à l'aide d'un liquide opaque aux rayons X.

Les méthodes radiologiques classiques, mises au point au début du XXe siècle,

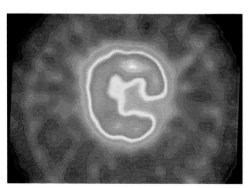

**L**ocalisation d'une tumeur (zone blanche) cérébrale par la technique de la résonance magnétique nucléaire.
En bas, coupe transversale du cerveau réalisée grâce à la tomographie par émission de positons, qui permet la mise en évidence d'un infarctus (en rouge) dans la région de la scissure de Sylvius.

représentaient déjà un net progrès, mais elles ne procuraient encore que des observations imparfaites.

Les méthodes plus récentes permettent de mesurer l'activité d'une structure cérébrale, l'intensité du flux sanguin qui la traverse, ou encore de déterminer les troubles qualitatifs de son fonctionnement – par exemple, la perte de la capacité d'émettre ou de reconnaître un signal chimique particulier. Ces mesures sont effectuées en temps réel, c'est-à-dire simultanément à un test ou un examen clinique.

On peut ainsi localiser une lésion et visualiser sa forme et son volume, tout en la corrélant avec un trouble fonctionnel défini.

## Des mesures télémétriques

Ces méthodes se fondent sur l'émission d'énergie par des particules ou des isotopes. Les isotopes sont des dérivés instables obtenus en soumettant un atome stable à un flux d'énergie important, par exemple en provoquant des collisions d'atomes. En retrouvant un état stable, les isotopes émettent des particules dont l'énergie est assez élevée pour leur permettre de traverser les tissus vivants sans les léser.

On peut donc les détecter à distance sans perturber le fonctionnement du cerveau par une intervention intempestive de l'observateur. C'est pourquoi on parle de techniques d'exploration non invasives, techniques de plus en plus utilisées.

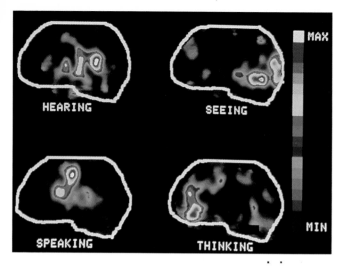

Ces méthodes ne s'appliquent pas seulement à l'exploration pathologique ; elles permettent aussi l'analyse du fonctionnement normal du cerveau, en suivant par exemple l'activation séquentielle de réseaux neuronaux pendant l'exécution d'une opération mentale. La compréhension des mécanismes cellulaires impliqués dans les fonctions complexes du cerveau a fortement bénéficié de l'apport de ces nouvelles méthodes.

Les quelques fonctions du cerveau décrites jusqu'ici peuvent être considérées comme relativement élémentaires.

Cela ne veut pas dire que leur fonctionnement soit facile à comprendre, mais que la manière dont le cerveau traite l'information correspondante devient relativement accessible à l'expérimentation.

La résonance magnétique nucléaire permet de localiser les structures activées lors de l'exécution d'une tâche. Certaines régions "s'allument" lorsque le sujet écoute ou regarde (en haut) ou qu'il parle ou réfléchit (en bas). Sur l'échelle des couleurs codées, elles apparaissent d'autant plus proches du rouge qu'elles sont activées.

Pour étudier les opérations plus complexes la neuropsychologie propose de nouvelles méthodes qui fractionnent chaque opération en étapes, c'est-à-dire en sous-ensembles dont l'exécution est plus facile à décrire objectivement que l'opération entière ; en mesurant en parallèle l'activation de réseaux neuronaux, on peut alors rechercher lesquels sont vraiment nécessaires à la réalisation de l'opération.

## Le langage

C'est surtout l'étude du langage qui a bénéficié de ces nouvelles méthodes pour tenter de répondre à quelques questions brûlantes : quelles sont les bases organiques et moléculaires du langage au niveau du cerveau ? Sont-elles vraiment l'apanage exclusif de l'espèce humaine ?

La capacité d'appréhender des signes phonétiques et graphiques et de conférer un sens à des combinaisons complexes et abstraites de ces signes correspond à une structure particulière, l'aire de Broca (du nom du premier neurologue à en avoir fait la description anatomique en 1861). Cette structure est différente de celles responsables du décodage des sons, et dont la lésion entraîne la surdité.

L'étude des troubles de la parole ou de la transcription des mots (aphasies, agraphies) a permis de montrer que l'aire de Broca traite surtout l'information relative au langage oral, tandis que les fonctions de lecture et d'écriture relèvent de structures voisines (lobes temporo-occipital et pariéto-occipital).

## Des hémisphères inégaux

Les structures associées à l'aire de Broca sont latéralisées, c'est-à-dire qu'elles correspondent à une asymétrie des hémisphères cérébraux. Elles sont généralement plus développées à gauche chez les droitiers, bien que quatre pour cent d'entre eux possèdent une aire de Broca prédominante à droite.

**L**ors de l'audition de la voyelle *a*, c'est l'hémisphère gauche qui domine (zone rouge, à gauche). En revanche, lors de l'écoute d'un violon, c'est l'hémisphère droit qui entre en jeu (zone rouge, à droite).

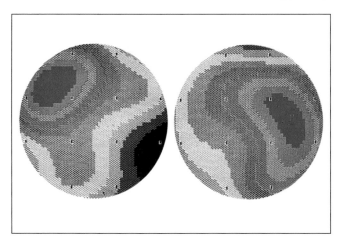

L'asymétrie des zones du langage se traduit par une densité différente de connexions nerveuses et par une relative spécialisation fonctionnelle. Lorsque le côté gauche prédomine, il traite essentiellement les aspects objectifs du langage (reconnaissance des combinaisons de phonèmes et de graphes, corrélation avec des objets et des images), tandis que l'autre est plutôt chargé des aspects subjectifs, ceux qui, à travers les réponses affectives et les souvenirs du sujet, confèrent à son expérience perceptive un sens particulier lié à son histoire personnelle.

Nous avons déjà rencontré cette notion de complémentarité et de coopération des hémisphères cérébraux à propos de la douleur (p. 86). Pour mieux comprendre la contribution respective de chaque hémisphère, on a étudié des malades chez lesquels les connexions interhémisphériques avaient été interrompues par une opération chirurgicale (généralement en vue de corriger des troubles épileptiques).

Dans ces conditions, on a pu montrer que si l'hémisphère dominant est plus spécialisé dans l'analyse du bruit, l'autre est nécessaire à la distinction entre bruit et musique, par exemple. Ces lésions provoquent aussi de curieuses dissociations entre la reconnaissance des images et la capacité à trouver le mot qui leur correspond.

Un malade célèbre, étudié par Barbara Milner au Canada, savait parfaitement dessiner, reconnaître et nommer des animaux peu courants ; il reconnaissait aussi les animaux familiers, mais ne parvenait pas à retrouver leur nom.

D'autres lésions, n'interrompant pas la communication interhémisphérique mais touchant la partie postérieure de l'aire dominante de Broca, peuvent dissocier la compréhension du langage verbal et du langage écrit ; tout en sachant déchiffrer chaque lettre d'un mot, le malade n'est plus capable de le comprendre, alors qu'il en saisit parfaitement le sens lorsqu'il l'entend.

D'autres lésions de l'aire de Broca peuvent aussi affecter différemment le maniement de langues de structure différente (par exemple des langues qui s'écrivent de gauche à droite ou de droite à gauche, qui s'écrivent à l'aide de caractères phonétiques ou idéographiques, ou apprises à des périodes différentes de la vie). La langue maternelle garde d'ailleurs toujours des caractéristiques un peu différentes des autres, dans la mesure où ses sonorités, perçues dès la vie fœtale, influencent la mise en place des structures corticales qui serviront ensuite à les analyser.

## Des chimpanzés qui parlent

La plupart des animaux sont capables de communiquer par signes, en associant par exemple des symboles à des objets ou à des actions. En revanche, on leur dénie généralement la capacité de comprendre les langages complexes comportant des règles sémantiques.

Pourtant, bien que l'homme dispose d'une supériorité manifeste dans ce domaine, on a montré récemment que des chimpanzés pouvaient comprendre et parler des langues humaines.

Elisabeth Savage-Rumbaugh, de l'université Emory aux États-Unis, a obtenu ce résultat chez de jeunes singes en répétant plusieurs fois la présentation d'objets en même temps qu'elle les nommait à haute voix, par une méthode assez semblable à celle qu'on applique aux enfants. Les singes comprirent rapidement plus d'une centaine de mots ; mais ils apprirent aussi à les organiser et à les énoncer sous forme de phrases.

À cause de l'organisation de leur glotte, les chimpanzés ne peuvent émettre que des sons rauques.

Ils sont donc difficiles à comprendre, mais une écoute attentive jointe à l'observation de leur comportement montre qu'ils peuvent non seulement restituer les phrases ap-

Un chimpanzé demande à boire par signes. Dans des conditions appropriées, l'animal peut également apprendre des rudiments de langage verbal.

prises dans un contexte pertinent, mais aussi en inventer de nouvelles.

Leur mode d'apprentissage présente une autre caractéristique importante de l'acquisition du langage par l'homme : mis en contact étroit avec des humains, ils se mettent à manipuler spontanément les mots et à construire des phrases par mimétisme.

Les chimpanzés sont même parfois capables d'introduire une note volontaire d'humour dans leurs phrases, en inversant par exemple le sujet et le complément. "Kanzi va porter grand-mère à banane", dit un jour un des singes de l'expérience en guettant l'effet de sa blague sur les expérimentateurs.

Curieusement, le petit chimpanzé apprend ces rudiments de langage plus vite qu'un enfant placé dans les mêmes conditions d'apprentissage ; mais il atteint rapidement un niveau qu'il ne dépasse jamais, tandis que l'enfant continue à progresser pendant plusieurs années.

L'apprentissage par le chimpanzé des rudiments d'un langage abstrait coïncide avec l'apparition d'une certaine parenté d'organisation entre son cortex pariétal et le nôtre, à la différence d'autres singes pourtant proches du chimpanzé, mais incapables d'acquérir les mêmes capacités d'expression. Une organisation particulière de l'aire de Broca semble donc nécessaire à l'émergence des langages complexes ; cette organisation apparaît déjà sous forme d'ébauche chez certains préhominiens.

## Le vieillissement cérébral

Tous les organes vieillissent. Ce vieillissement est programmé, ce qui revient à dire que la durée moyenne de vie des cellules qui les composent est prédéterminée. Dans la mesure où la majorité de ses cellules ne se divise plus, le cerveau est très sensible à ce vieillissement ; nous avons déjà signalé qu'il perdait chaque jour quelques milliers de neurones. Cependant, cette perte n'a pas d'incidence fonctionnelle majeure tant qu'elle conserve un caractère aléatoire, c'est-à-dire qu'elle touche des populations neuronales au hasard. Dans ces conditions, seule une disparition massive de neurones finirait par entraîner des troubles fonctionnels.

En revanche, lorsque les neurones détruits ne sont pas distribués au hasard dans le cerveau, mais font tous partie d'une même population de neurones, des déficits plus importants et plus caractéristiques peuvent apparaître. Deux grandes familles de maladies dégénératives du cerveau sont liées à des destructions non aléatoires de neurones : la maladie de Parkinson et la maladie d'Alzheimer, un syndrome particulier de démence sénile.

## La maladie de Parkinson

Il s'agit d'un trouble de la coordination motrice ; bien qu'il soit conscient du tremblement incessant de ses membres – cette conscience représente d'ailleurs un aspect particulièrement pénible de sa condition –, le malade a perdu la capacité de le maîtriser. Le développement du tremblement est progressif ; ils affectent généralement les membres supérieurs avant les autres.

La maladie tient à la dégénérescence d'un petit groupe de neurones situés à la base du cerveau, le système nigro-strié, ainsi nommé parce qu'il fait communiquer deux structures, la "substance noire" (locus niger) qui doit son nom à son apparence sombre sur des coupes de cerveau, et le "corps strié", qui paraît formé de bandes juxtaposées. Les neurones nigro-striés utilisent principalement la dopamine comme neuromédiateur.

Il n'existe guère que quelques milliers de neurones nigro-striés. Mais l'organisation de leurs projections fait qu'ils en contrôlent des milliers d'autres (ils se comportent comme des sélecteurs de configuration), ce qui amplifie les conséquences de leur dégénérescence.

À quelques exceptions près, la maladie de Parkinson affecte principalement les sujets âgés ; on considère que dans nos pays, 5 à 10 % des hommes (et un peu moins de femmes) en sont atteints après soixante-dix ans. Les causes en sont encore mal connues. On a parfois incriminé un processus auto-immun, cette réaction erronée du système immunitaire qui l'amène à confondre des éléments de son propre organisme avec des molécules étrangères et à les détruire.

D'autres données suggèrent que la disparition des neurones nigro-striés résulterait de l'action d'un virus lent, qui entraînerait leur détérioration au bout d'une très longue période de latence.

## "Doper" ou remplacer les neurones atteints ?

Depuis une vingtaine d'années, on parvient à retarder les effets de la maladie en "dopant" les neurones survivants grâce à un médicament, la l-dopa. Mais le traitement cesse d'être efficace lorsqu'un trop grand nombre de neurones ont disparu.

De nouveaux espoirs sont actuellement offerts par la perspective de greffer des neurones de remplacement dans le système nigro-strié : nous avons vu que des neurones fœtaux greffés dans une structure cérébrale adulte étaient capables d'établir des contacts synaptiques avec les neurones environnants.

Ce traitement rencontre encore de nombreuses difficultés ; compte tenu des risques encourus et des échecs observés à long terme, on ne peut pas encore le considérer comme supérieur aux traitements médicamenteux.

## La maladie d'Alzheimer

C'est la dégénérescence d'un autre groupe de neurones, fonctionnant lui aussi comme un sélecteur de configuration, qui provoque la ma-

La tomographie par émission de positons permet de mesurer le débit sanguin dans différentes structures cérébrales. Ces deux clichés (p. 109) permettent d'apprécier la diminution du débit sanguin mesuré au repos chez un sujet sain (en haut) par rapport à un sujet atteint de la maladie d'Alzheimer (en bas). Cette diminution traduit la dégénérescence de systèmes neuronaux caractéristiques de cette maladie.

ladie d'Alzheimer, du nom du neurologue allemand qui en décrivit les symptômes en 1899.

Les neurones atteints font partie du noyau basal de Meynert, situé à la base du cerveau un peu en avant du système nigro-strié. L'acétylcholine est le principal signal chimique échangé dans le noyau de Meynert : la concentration du neuromédiateur dans les neurones qui le composent et dans leurs prolongements est fortement diminuée chez les malades.

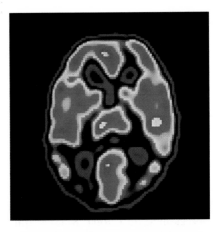

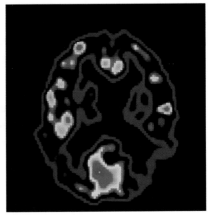

Ces prolongements innervent en particulier des régions du cortex cérébral et de l'hippocampe qui jouent un rôle important dans les fonctions de mémoire et d'orientation.

Ces deux structures présentent également de nombreuses traces de dégénérescence chez les patients atteints de la maladie d'Alzheimer.

En parallèle, on observe un important déficit dans les fonctions cognitives du cerveau – comme la mémoire, le sens de l'orientation et la reconnaissance spatiale – dans lesquelles l'hippocampe et le cortex associatif jouent un rôle capital.

Comme dans le cas de la maladie de Parkinson, on ne connaît pas encore les véritables causes du phénomène dégénératif, et pourquoi seuls certains individus sont atteints (environ 10 % des plus de soixante-dix ans), tandis que la maladie épargne les autres, même à des âges beaucoup plus avancés.

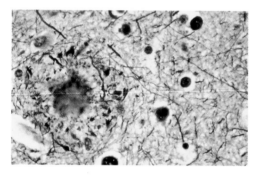

## Une protéine tueuse de neurones

En revanche, des recherches récentes commencent à éclairer les mécanismes moléculaires que la maladie met en jeu.

L'expression exagérée d'un gène codant pour une protéine particulière, appelée protéine amyloïde, peut être mise en évidence dans les neurones du noyau basal lorsqu'ils commencent à dégénérer.

La dégénérescence des neurones observée dans la maladie d'Alzheimer s'accompagne de la formation de "plaques séniles" comme celle que l'on voit à gauche sur ce cliché grossi 35 fois. Ces plaques contiennent des filaments et des granules formés d'une substance (la protéine amyloïde) normalement soluble dans les neurones, mais qui précipite au cours de leur dégénérescence.

Les propriétés enzymatiques de cette protéine lui donnent un rôle encore mal compris dans la construction du cerveau (et sans doute d'autres organes).

Mais, produite en excès à l'âge adulte, elle entraîne une détérioration des neurones. Des biologistes cherchent maintenant à freiner sa surproduction ; en attendant, on se sert de sa découverte pour faciliter un diagnostic plus précoce de la maladie.

La recherche des causes de la maladie d'Alzheimer est très ardue, notamment parce que certains de ses symptômes, comme la perte du sens de l'orientation, ressemblent à ceux d'autres démences dont les mécanismes sont différents. C'est d'ailleurs une des raisons qui justifient les efforts réalisés en vue d'obtenir un diagnostic à la fois plus précoce et plus spécifique.

Un handicap supplémentaire tient au fait qu'il n'existe pas de modèle animal reproduisant exactement les symptômes cliniques de la maladie.

La maladie d'Alzheimer représente un modèle pathologique privilégié pour analyser les bases biologiques des facultés qui nous permettent de maintenir des rapports avec notre environnement.

En comparant l'intensité de la détérioration des capacités d'attention et de reconnaissance observée chez les malades, d'une part, et la localisation et l'étendue des lésions qu'ils ont subies de l'autre, on peut espérer définir les réseaux neuronaux nécessaires à une cognition normale.

## Génétique et maladies du cerveau

Les maladies du système nerveux ne sont évidemment pas toutes liées au vieillissement.

Certaines peuvent avoir des causes génétiques, qui tiennent à la présence de gènes mutés dans la bibliothèque cellulaire qui renferme l'ensemble de l'information nécessaire au fonctionnement du cerveau et à sa transmission héréditaire.

À elle seule, une anomalie génétique suffit rarement à expliquer un trouble du fonctionnement cérébral, contrairement à certaines maladies des organes périphériques ou de la commande nerveuse des muscles (on connaît des troubles moteurs résultant d'une mutation ponctuelle, c'est-à-dire portant sur une seule molécule sur les milliers qui constituent chaque gène).

Dans le système nerveux central, la plupart des anomalies génétiques dominantes ne sont pas compatibles avec la survie ; elles ont donc été contre-sélectionnées au cours de l'Évolution.

Dans ces conditions, la cause la plus fréquente de troubles neurologiques partiellement héréditaires est polygénique, ce qui veut dire que la maladie n'apparaît que si plusieurs facteurs génétiques défavorables sont présents en même temps.

La mutation d'un seul gène ne suffit pas à provoquer la maladie éventuellement associée à ce gène ; elle ne fera qu'augmenter légèrement sa probabilité de survenue.

Dans la démence d'Alzheimer, des corrélations génétiques montrent que l'incidence de la maladie est plus élevée dans certaines familles que dans d'autres ; des symptômes de démence particuliers sont parfois associés à des anomalies portant sur le chromosome 21, également impliqué dans le mongolisme. Mais cette corrélation ne semble pas concerner toutes les formes de la maladie.

## Les affections psychiatriques

Des pistes de recherche, encore fragmentaires, suggèrent que d'autres anomalies génétiques pourraient modifier l'incidence de troubles cognitifs ou de schizophrénies, une affection psychiatrique dans laquelle le sujet a beaucoup de mal à mettre la réalité extérieure en cohérence avec sa propre vision du monde. La présence de facteurs génétiques "permissifs", donc modifiant la probabilité d'apparition d'un processus pathologique, a même été postulée dans certaines dépressions. La dépression n'est pourtant pas une maladie génétique ; les facteurs physiologiques, psychologiques et sociaux liés à l'histoire du sujet et à la pertinence des stratégies qu'il met en œuvre pour maîtriser son environnement pèsent bien plus lourd que le patrimoine génétique dans le déclenchement des affections dépressives.

Bien qu'elle soit d'abord un trouble de l'adaptation, la dépression s'accompagne de changements d'activité des médiateurs mono-aminergiques.

La résistance d'un sujet vis-à-vis de la dépression dépend en partie de la qualité de la communication neuronale assurée par ces médiateurs dans des structures cérébrales spécialisées. Les facteurs génétiques jouent évidemment un rôle indirect dans ces mécanismes.

La plupart des médicaments antidépressifs agissent sur ces médiateurs.

## Le diagnostic génétique

Les affections polygéniques sont trop complexes pour que l'on puisse envisager de traiter leur composante génétique. Une meilleure connaissance de cette composante n'est pourtant pas dépourvue d'applications potentielles.
Elle permettra d'apprécier dès un stade de développement précoce du fœtus le risque

**U**n patient photographié dans un service de psychiatrie de Turin.

effectif de maladie ; elle peut aussi débou-
cher sur la recherche de traitements de sub-
stitution.

C'est ainsi que le produit d'un gène ex-
primé avec excès peut parfois être piégé
par d'autres molécules.

Les perspectives de la thérapie génique
(possibilité de modifier certains gènes ou
d'en incorporer de nouveaux dans le patrimoine génétique d'une cellule) ne s'appli-
queront sans doute pas avant longtemps au
cerveau humain. On sait cependant exprimer des gènes artificiels dans des neurones
de culture, et on envisage d'améliorer ainsi
les techniques de greffe : les médiateurs ou
les facteurs de croissance produits par ces
neurones transformés peuvent prolonger
leur survie lorsqu'ils sont greffés dans une
structure endommagée.

La recherche systématique des gènes exprimés par le cerveau de façon normale ou au
cours de maladies neurologiques est encore
trop récente pour qu'on puisse vraiment
en faire le bilan. Mais elle va progresser rapidement grâce aux nouveaux programmes
d'identification systématique du génome
humain mis en œuvre depuis quelques
années. ■

# ET DEMAIN ?

Les connaissances que nous venons de résumer témoignent des progrès récents des neurosciences, un cadre disciplinaire nouveau qui a fédéré plusieurs disciplines traditionnelles. Celles-ci conservent dans une certaine mesure leur individualité, la neurophysiologie applique toujours ses techniques à l'étude des phénomènes électriques élémentaires, les méthodes de la psychologie continue à renouveler ses théories et ses méthodes, comme on l'a vu à propos de la neuropsychologie. Mais il est désormais difficile de concevoir les unes sans les autres, les différentes représentations de l'activité cérébrale offertes par chaque discipline ne sont plus indépendantes ; chacune d'elles n'est plus qu'une face de la nouvelle science.

Ces progrès nous ont dévoilé quelques bases moléculaires du fonctionnement du cerveau sain, mais aussi de certains états pathologiques.

Jusqu'à présent, ils nous ont surtout fourni des outils diagnostiques, c'est-à-dire des moyens d'estimer notre degré de prédisposition pour des maladies déterminées, et qui dépend en partie de notre patrimoine génétique.

À partir de là, on peut envisager de prévenir ces prédispositions (par le diagnostic prénatal, par l'éloignement des facteurs susceptibles de réaliser la prédisposition) voire, dans un avenir plus lointain, d'en corriger certains par thérapie génique. En espérant que nous parviendrons aussi à en contrôler les effets pervers, c'est-à-dire les applications abusives.

Peut-on aller plus loin, et envisager qu'ils nous rendent intelligibles les fonctions de notre cerveau qui nous concernent le plus profondément, comme la conscience ou l'intelligence, qui caractérisent plus particulièrement l'espèce humaine – non sans doute qu'elle en ait l'apanage exclusif, mais parce qu'elle les exprime de manière inégalée dans l'histoire de l'évolution des êtres vivants ?

À elle seule, la connaissance des interactions moléculaires ne suffit pas à répondre à la question. Les stratégies du cerveau sont si nombreuses et si diverses que des représentations mécanistes ne rendent pas compte de leur niveau de complexité.

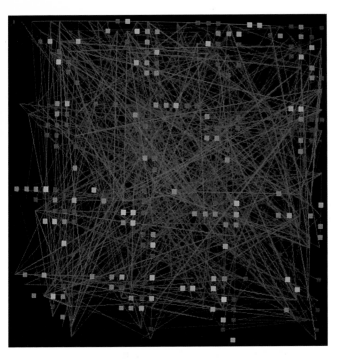

Cet obstacle se retrouve d'ailleurs dans le cas des organismes vivants, et même de certaines machines : connaître tous les composants d'un oiseau ou d'un avion ne suffit pas pour comprendre le vol lui-même. Avoir des ailes, un moteur ou un gouvernail est une condition nécessaire, mais non suffisante. Il faut en plus un plan de coordination de l'ensemble qui transcende les propriétés de chaque composant. Quel est le plan de coordination qui nous permettra de mieux expliquer la pensée à l'aide des interactions moléculaires qui l'accompagnent ?

**V**isualisation de l'activité d'un réseau de 1 024 neurones. Les connexions de ce réseau ont été modélisées et montrent l'activation synchrone de certains ensembles de neurones artificiels.

Les propriétés des neurones changent de nature lorsqu'ils sont insérés dans un réseau. C'est d'ailleurs pourquoi il est difficile de recouper strictement fonctions et localisations cérébrales. Pour mieux comprendre ce qu'est un réseau, pensons à l'effet d'un groupe d'individus sur chacun de ses membres. L'appartenance au groupe modifie les comportements individuels ; la plupart des individus se comportent différemment s'ils se trouvent dans un groupe ou dans un autre. Les signes de reconnaissance qu'un individu reçoit de son entourage peuvent donc modifier sa manière d'être, ses propriétés.

Dans le système nerveux, l'appartenance des neurones à un réseau dépend aussi de signes de reconnaissance qui leur sont fournis par des combinaisons particulières de signaux chimiques, véritables mots de passe qui vont mobiliser des configurations variables de cellules individuelles. Il y a tant de configurations possibles que certaines d'entre elles ne se produisent qu'une fois au cours de la vie. Mais chacune présente des propriétés uniques de traitement de l'information.

À l'inverse, l'entraînement à des opérations familières peut stabiliser des configurations déterminées du réseau. Les configurations stabilisées restent activées pendant une certaine durée ; mais elles peuvent aussi changer brutalement, à la manière des états stationnaires que décrivent les théories physiques du chaos.

De très légères variations suffisent parfois à faire basculer le système d'un état stationnaire à un autre. Les transitions entre états stationnaires, également étudiées en physique dans le cadre de la théorie du chaos, introduisent un certain degré d'indétermination dans l'enchaînement des événements moléculaires qui règlent l'activité de notre cerveau. Le concept de liberté est ainsi plus compatible avec la théorie des réseaux qu'avec une vision réductionniste de la succession des causes et des effets.

C'est ainsi que les neurosciences sont en train d'élaborer une sociologie des neurones qui ouvre de nouvelles pistes pour en comprendre la complexité. Testée d'abord sur des cerveaux plus simples de quelques centaines de neurones – cerveaux d'insectes ou de crustacés –, cette théorie des ensembles neuronaux tente de déchiffrer les stratégies qui confèrent au cerveau la plus originale de ses propriétés : sa capacité de contrôler sa propre construction, et de se doter de nouvelles règles de traitement de l'information lorsque celles dont il dispose atteignent leurs limites.

À côté de la contribution de la génétique au diagnostic et à la prévention des maladies du cerveau, c'est sans doute de la théorie des réseaux que l'on attend le plus de lumières nouvelles pour mieux comprendre le fonctionnement de notre esprit. ■

*La majorité des documents proposés ici fait partie
des collections de la médiathèque de la cité des Sciences
et de l'Industrie.*

## Ouvrages généraux

**Les énigmes du cerveau**, Yves Christen, Hologramme, Paris, 1989

**Histoire illustrée de la fonction cérébrale**, Edwin Clarke,
Da costa, Paris, 1980

**Le cerveau**, Georges Lantri-Laura, coll. *Clefs*, Seghers, Paris, 1987

**L'incroyable aventure du cerveau**, Robert Ornstein, Interéditions,
Paris, 1987

**Le langage des cellules**, Claude Kordon, coll. *Questions
de science*, Hachette, Paris, 1990

**La construction du cerveau**, Alain Prochiantz, coll. *Questions
de science*, Hachette, Paris, 1989

**Le cerveau de l'enfant**, Richard Resak, coll. *La fontaine illustrée*,
Laffont, Paris, 1988

**Biologie des passions**, Jean-Didier Vincent, Éditions Odile Jacob,
Paris, 1986

**Le cerveau dans tous ses états** : entretiens avec Michel
Desgeorges, Michel Imbert, Alain Prochiantz, Roger Saban,
Jean-Pol Tassin, Marie-Hélène Thiébot, Jean-Didier Vincent,
Édouard Zarifian, CNRS, Paris, 1991

**La fabrique de la pensée : la découverte du cerveau, de l'art
de la mémoire aux neurosciences**, sous la direction
de Pietro Corsi, Electa, Milan, 1990

**Le système nerveux de l'homme ou le dieu dans la tête
emmurée**, coll. *Éssais*, Mercure de France, Paris, 1990

**L'âge de déraison**, Yves Lamour, Plon, Paris, 1992

**Les jardiniers de la folie**, E. Zarifian, Éditions Odile Jacob, Paris,
1988

# À la découverte du neurone

**Le cerveau hormonal**, A. Enjalbert et J. Epelbaum,
Éditions du Rocher, Paris, 1986

**Guide illustré du neurone**, Paul Apicella, coll. *Guides illustrés*,
Belin, Paris, 1988

**L'homme neuronal**, Jean-Pierre Changeux, coll. *Le Temps
des sciences*, Fayard, Paris, 1983

**Le cerveau réparé ?**, Marc Peschanski, coll. *Synthèse,* Plon,
Paris, 1989

# La mémoire

**La dynamique du cerveau : entretenir sa santé cérébrale**,
Philippe Boulu, coll. *Documents Payot*, Payot, Paris, 1991

**Neuropsychologie de la mémoire humaine**,
Martial Van der Linden, coll. *Sciences et technologies
de la connaissance*, Presses universitaires de Grenoble, 1991

**Le cerveau et la mémoire**, *in Sciences et vie* n° spécial 162

# Cassettes sonores

**Cerveau et vision : communication non-verbale**, Pierre Fayard
avec Francois Vital-Durand, Centre culturel scientifique
et technique, Grenoble, 1984

**Conscience et neurosciences**, cité des Sciences
et de l'Industrie, Paris, 1990

**Le fonctionnement du cerveau**, cité des Sciences
et de l'Industrie, Paris, 1990

# Films

**Le cerveau impensable** (26 min.), réalisé par Claude Edelmann,
Les films du Levant, 1991, 256 min

**Le cerveau, morceaux choisis** (52 min.), Images Média, CNRS, 1990

*Naissance du cerveau : dix milliards de galaxies* (33 min.),
réalisé par Claude Edelmann, Les Films du Levant, Paris, 1982

## Didacticiels

*Cerveau droit, cerveau gauche*, Stud-i, 1989

*Développer sa mémoire*, Stud-i, 1989

**Acétylcholine** (p. 109) : neurotransmetteur dérivé de la choline, un des plus anciens signaux de communication cellulaire connu. Il sert déja de médiateur chez les invertébrés, et même chez certains végétaux.

**Action de masse** (loi d') (p. 47) : loi physique définissant les interactions entre éléments en fonction de leurs concentrations respectives.

**Adrénaline** (p. 14) : neurotransmetteur dérivé de la tyrosine, un acide aminé très répandu, par transformation chimique dans les granules de sécrétion des neurones.

**Alzheimer** (maladie d') (p. 108) : forme particulière de vieillissement cérébral liée à des phénomènes de dégénerescence neuronale. La maladie n'affecte qu'un petit nombre de neurones, mais ceux qu'elle détruit occupent des positions stratégiques dans le cerveau. La maladie porte le nom du neurologue allemand qui en donna la première description clinique ; elle entraîne d'importantes perturbations du contrôle de l'affectivité et des facultés cognitives, notamment des mécanismes de reconnaissance.

**Axone** (p. 26) : principal prolongement du neurone. Les axones peuvent atteindre des longueurs de plusieurs dizaines de centimètres ; leur extrémité présente de nombreuses arborisations qui leur permettent d'entrer en contact avec un grand nombre d'autres cellules.

**Céphalo-rachidien** (liquide) (p. 30) : humeur circulant dans les ventricules cérébraux. Moins concentrée en protéines que le sang et dépourvu d'éléments figurés comme les globules rouges ou blancs, le liquide céphalo-rachidien baigne le cerveau et le protège des chocs éventuels reçus par la boîte crânienne. Il contribue à l'alimentation des cellules nerveuses.

**Chimère** (p. 58) : organisme hybride, construit à partir de tissus ou d'organes provenant de deux espèces différentes.

**Circadien** (rythme) (p. 79) : rythme dont la période correspond à peu près à celle de l'alternance jour-nuit (du latin *circa*, environ, et *dies*, jour).

**Dendrite** (p. 26) : prolongements centripètes du neurone transportant de l'information électrique vers le corps cellulaire, sous forme de potentiels d'action.

**Dépression** (p. 113) : état psychique caractérisé par une perte d'instinct vital, une démotivation, une attitude de repli sur soi-même et une perception brouillée de soi et des autres.

**Différence de potentiel** (p. 42) : différence de tension électrique entre deux points d'un circuit. En neurobiologie, différence de potentiel entre les faces interne et externe de la membrane du neurone. Cette différence, de l'ordre du millivolt, tient à la répartition inégale des particules chargées (ions sodium, potassium, calcium ou chlore par exemple) de part et d'autre de la membrane ; elle change lorsque l'ouverture de canaux ioniques à travers la membrane modifie cette répartition.

**Embryogenèse** (p. 51) : ensemble des divisions et des mouvements cellulaires impliqués dans la construction des organismes vivants.

**Endocrine** (p. 77) : relatif aux hormones (du grec *crinein*, sécrété, et *endo*, à l'intérieur). Les glandes endocrines sécrètent leurs produits dans le sang, contrairement aux glandes exocrines (comme les glandes salivaires ou les glandes sudoripares) qui sécrètent les leurs vers l'extérieur (*exo*).

**Épendymocyte** (p. 31) : cellule gliale spécialisée constitutive de l'épendyme, bordure cellulaire des ventricules cérébraux.

**Épiphyse** (p. 81) : petite glande endocrine située au-dessus du corps calleux. Elle produit et sécrète principalement la mélatonine, substance importante pour la régulation des rythmes circadiens et des rythmes saisonniers (comme ceux des espèces qui ne se reproduisent qu'une fois par an).

**Gène** (p. 52) : séquence d'acide désoxyribonucléique (ADN) codant pour la synthèse d'une protéine.

**Gliale** (cellule) (p. 25) : les cellules du cerveau autres que les neurones.

**Hémato-encéphalique** (barrière) (p. 28) : filtre chimique protégeant le cerveau contre les substances indésirables éventuellement présentes dans le sang, en limitant leur passage des vaisseaux sanguins vers le tissu cérébral.

**Hippocampe** : structure cérébrale, située sous le cortex, jouant un rôle important dans les phénomènes d'apprentissage et de mémorisation.

**Homéotique** (gène) (p. 52) : famille de gènes s'exprimant principalement pendant le développement.

**Hypothalamus** (p. 76) : structure située à la base du cerveau, sous (*hypo* en grec) le *thalamus* et responsable de la régulation de nombreuses fonctions physiologiques non volontaires et non conscientes (contrôle de la température, des sécrétions hormonales par exemple).

**Interleukine** (p. 91) : famille de médiateurs de l'immunité sécrétés en réponse à une agression bactérienne ou virale par les cellules responsables des défenses de l'organisme (les lymphocytes, mais aussi d'autres cellules comme les macrophages, les cellules du thymus et même certaines variétés de cellules gliales). Certaines interleukines peuvent agir directement sur le cerveau.

**Morphine** (p. 86, 89) : dérivé extrait du pavot et capable de se lier à des récepteurs exprimés dans plusieurs organes, dont le cerveau. Connue pour ses effets analgésiques et euphorisants, elle agit sur le récepteur comme un faux signal, confondu par l'organisme avec ses propres signaux chimiques (les peptides *opiacés* ou *morphinomimétiques*). La morphine désensibilise ses récepteurs et provoque une déstabilisation durable de la communication cellulaire, traduction moléculaire du phénomène de dépendance.

**Neuromédiateur** (p. 37, 42) : signal chimique de communication entre cellules nerveuses.

**Neurone** (p. 25, 43) : catégorie de cellule du système nerveux responsable de la communication des structures cérébrales entre elles.

**Neuropeptide** (p. 39) : classe de neuromédiateurs de nature peptidiques composés d'un assemblage de trois à quelques dizaines d'acides aminés.

**Noradrénaline** (p. 88) : neuromédiateur voisin de l'adrénaline (voir ce mot), dont il diffère par l'absence d'un radical méthyle (un atome de carbone entouré de trois atomes d'hydrogène).

**Oncogène** (p. 53) : famille de gènes exprimés principalement au cours de la construction des organes. Les oncogènes sont capables de prendre temporairement le contrôle de l'activité des cellules pour les adapter aux contraintes du développement de l'organisme. Exprimés à contre temps, notamment chez l'adulte, ils favorisent l'appation de certains cancers (d'où leur nom, du grec *oncos*, tumeur et *genein*, engendrer).

**Parkinson** (maladie de) (p. 106) : affection dégénérative du système nerveux due à la des-truction d'un petit groupe de neurones cérébraux (le système dopaminergique nigro-strié). Elle se traduit notamment par une défaillance des mécanisme de coordination motrice et par des tremblements irrépressibles des membres supérieurs.

**Potentiel d'action** (p. 41) : brève variation de potentiel électrique résultant du passage d'ions à travers la membrane neuronale. Le potentiel d'action se propage le long de l'axone et entraîne la libération de médiateurs par la terminaison nerveuse (voir différence de potentiel).

**Schizophrénie** (p. 113) : affection caractérisée notamment par une dissociation entre différents aspects du psychisme et par un décodage altéré des signes de l'environnement.

**Stress** (p. 86) : réaction adaptative de l'organisme à un défi externe ou à une atteinte à son intégrité, qui tend à favoriser l'exécution d'une stratégie de réponse en coordonnant la mise en oeuvre des ressources physiologiques. Le physiologiste canadien Hans Selyé, premier à proposer le concept de stress, en donnait une définition très générale : "le stress est la réponse que fait l'organisme à toute demande qui lui est faite". En ce sens, le stress joue un rôle positif dans l'adaptation au changement. Mais lorsque la réponse adaptative n'aboutit pas, le stress perpétue des situations d'urgence qui peuvent alors devenir nocives.

**Synapse** (p. 33, 42) : jonction entre deux neurones. La synapse se caractérise par l'accollement d'une terminaison axonale avec un dendrite ou un corps cellulaire. Du côté post-synaptique, la membrane présente un épaississement caractéristique où se trouvent disposés les récepteurs.

**Transduction** (p. 47) : réactions en chaîne mises en jeu par la réception d'un signal par son récepteur et transmettant à la cellule un message d'activation ou d'inhibition.

**Trépanation** (p. 12) : forage d'un orifice à travers le crâne pour permettre de pratiquer une intervention sur le cerveau.

**Ultradien** : rythme de fréquence plus grande que le cycle jour-nuit (voir circadien).

**Ventricule** : système de canaux et de diverticules situés au centre de la masse cérébrale et procurant au cerveau une irrigation supplémentaire par l'intermédiaire du liquide céphalorachidien.

**Origine des images**
(de gauche à droite, de haut en bas)

**Couverture :** M. Kulyk/SPL/Cosmos ; Monique Gorde.

**Introduction :** p. 9 : Franck Armitage.

**Chapitre 1 :** p. 10 : H. Sochurek/Woodfin Camp/Cosmos ; p. 12 : M. Lamoureux/Méd. d'Histoire des Sciences/CSI ; p. 13 : Bibl. des Arts décoratifs/Jean-Loup Charmet ; p. 14 : M. Lamoureux/Méd. d'Histoire des Sciences/CSI ; p. 15 : J.-L. Charmet, Roger Viollet ; p. 16 : coll. E.S./Explorer Archives, J.-L. Charmet ; p. 17 : J.-L. Charmet ; p. 18 : M. Lamoureux/Méd. d'Histoire des Sciences/CSI ; p. 20 : J.-L. Charmet.

**Chapitre 2 :** p. 24 : A. Pol/CNRI ; p. 26 : CNRI ; p. 28 : C. Louder/ENS/INSERM-Phototake/CNRI, A. Pol/CNRI ; p. 30 : Centre Jean Perrin/CNRI ; p. 32 : Phototake/CNRI ; p. 33 : Cl. Kordon.

**Chapitre 3 :** p. 34 : CNRS/Tim 3 ; p. 40 : Photo P. Willi/Explorer Archives/© ADAGP, Paris 1993 ; p. 41 : M. Kage/SPL/Cosmos, Phototake/CNRI ; p. 44 : B. Maigret et B. P. Roques (Univ. René-Descartes, Paris) ; p. 49 : H. Sochurek/Woodfin Camp/Cosmos.

**Chapitre 4 :** p. 50 : © Petit Format/Guigoz/Extraite du film Guigoz, *Naissance du cerveau, dix milliards de galaxies*, de Cl. Edelmann ; p. 52 : © Petit Format/Guigoz/J.-P. Musso/Extraite du film Guigoz, *Naissance du cerveau, dix milliards de galaxies*, de Cl. Edelmann ; p. 53 : © Petit Format/Guigoz/ E. Cabanis/Extraite du film Guigoz, *Naissance du cerveau, dix milliards de galaxies*, de Cl. Edelmann ; p. 58 : N. Le Douarin ; p. 60 : Giraudon/© ADAGP, Paris, 1993 et © by SPADEM, 1993.

**Chapitre 5 :** p. 62 ; J. Burgess/SPL/Cosmos ; p. 64 : CNRI ; p. 69 : Cl. Kordon ; p. 70 : B. Decoux/REA ; p. 72 : P. Bories/CNRI, CNRS/A. Dumuis ; p. 73 : Photothèque René Magritte/Giraudon/© ADAGP, Paris, 1993.

**Chapitre 6 :** p. 74 : J.-C. Révy/CNRI ; p. 77 : Denavit-Saubié/CNRS ; p. 79 : X/DR ; p. 80 : J. Nicolas/Sipa Press ; p. 82 : J. Forest/CNRS ; p. 83 : Ph. Plailly/Eurélios ; p. 86 : Charing cross hospital/SPL/Cosmos ; p. 88 : J. Pickerell/Rapho ; p. 89 : Stoll/Jacana ; p. 90 : Photo Bridgeman/Giraudon/© Munch Museet, Norvège (DR).

**Chapitre 7 :** p. 94 : M. Kulyk/SPL/Cosmos ; p. 97 : J. Mouette/CNRS-TIM 3, CNRS CE1 ; p. 99 : H. Sochurek/Woodfin Camp/Cosmos ; p. 101 : X/DR ; p. 104 : P. Fusco/Magnum ; p. 109 : Montreal Neuro Institut/McGill University/CNRI ; p. 110 : SPL/Cosmos ; p. 114 : R. Depardon/Magnum.

**Conclusion :** p. 119 : T. Herve/CNRS-TIM 3.

Les **illustrations** des pages 21, 27, 36, 37, 43, 46, 47, 55, 66, 71, 78, 83 et 92 sont de Monique Gorde.

**Remerciements**

Bernard P. Roques – B. Maigret – Nicole Le Douarin – Michel Jouvet – M. Denavit-Saubié –
C. Loudets – Frank Armitage – Robert Danzer – Michel Depardieu (photothèque INSERM) –
Isabelle Péricard (médiathèque CSI).

Conception graphique : Rampazzo & Associés
Couverture : Alice
Mise en pages : Hugues Cornière
Iconographie : Denis Pasquier
Responsable éditorial : Olivier Amiel
Responsable de fabrication : Marie-Thérèse Morchain

Achevé d'imprimer sur les presses d'I.M.E. à Baume-les-Dames
Dépôt légal : septembre 1993
N° imprimeur : 8810